DUAS MENINAS

ROBERTO SCHWARZ

Duas meninas
Uma leitura comparada de
Machado de Assis e Helena Morley

2ª edição
2ª reimpressão

COMPANHIA DAS LETRAS

Copyright © 1997 by Roberto Schwarz

Grafia atualizada segundo o Acordo Ortográfico da Língua Portuguesa de 1990, que entrou em vigor no Brasil em 2009.

Capa:
Mariana Newlands sobre Os episódios IX *(1959),
óleo s/ tela de Maria Leontina. 46x79,5,cm. Coleção particular.*

Preparação:
Carlos Alberto Inada

Revisão:
*Eliana Antonioli
Ana Maria Barbosa*

Atualização ortográfica:
Viviane T. Mendes

Dados Internacionais de Catalogação na Publicação (CIP)
(Câmara Brasileira do Livro, SP, Brasil)

Schwarz, Roberto, 1938-
    Duas meninas : Uma leitura comparada de Machado de Assis e Helena Morley / Roberto Schwarz — 2ª ed. — São Paulo : Companhia das Letras, 2006.

ISBN 978-85-7164-670-4

1. Assis, Machado de, 1839-1908. Dom Casmurro — Crítica e interpretação I. Título.

90.2245   CDD-869.9309

Índice para catálogo sistemático:
1. Romance : Literatura brasileira : História e crítica   895.635

[2022]

Todos os direitos desta edição reservados à
EDITORA SCHWARCZ S.A.
Rua Bandeira Paulista, 702, cj. 32
04532-002 — São Paulo — SP
Telefone: (11) 3707-3500
www.companhiadasletras.com.br
www.blogdacompanhia.com.br
facebook.com/companhiadasletras
instagram.com/companhiadasletras
twitter.com/cialetras

Sumário

A poesia envenenada de *Dom Casmurro* 7
Outra Capitu 47

Sobre os textos................................... 159

A POESIA ENVENENADA DE *DOM CASMURRO*

A Gilda de Mello e Souza

Dom Casmurro (1899) é um bom ponto de partida para apreciar a distância, na verdade o adiantamento, que separava Machado de Assis de seus compatriotas. O livro tem algo de armadilha, com lição crítica incisiva — isso se a cilada for percebida como tal. Desde o início há incongruências, passos obscuros, ênfases desconcertantes, que vão formando um enigma. A eventual solução, sem ser propriamente difícil, tem custo alto para o espírito conformista, pois deixa mal um dos tipos de elite mais queridos da ideologia brasileira. Acaso ou não, só sessenta anos depois de publicado e muito reeditado o romance, uma professora norte-americana (por ser mulher? por ser estrangeira? por ser talvez protestante?) começou a encarar a figura de Bento Santiago — o Casmurro — com o necessário pé atrás. É como se para o leitor brasileiro as implicações abjetas de certas formas de autoridade fossem menos visíveis.

Depois de contar o idílio de sua adolescência, completado pelo casamento em que seria traído, e pelo desterro que impôs à companheira e ao filho de pai duvidoso, Dom Casmurro conclui por uma pergunta a respeito de Capitu: a namorada adorável dos quinze anos já não esconderia dentro dela a mulher infiel, que adiante o enganaria com o melhor amigo? Induzido a recapitular, o fino leitor prontamente lembrará por dezenas os indícios do calculismo e da dissimulação da menina. Entretanto, considerando melhor, notará também que as indicações foram espalhadas com muita arte pelo próprio narrador, o que muda tudo e obriga a inverter o rumo da desconfiança. Em lugar da evocação, do memorialismo emocionado e sincero que pareceria merecer todo o crédito do mundo, surgem o libelo disfarçado contra Capitu e a tortuosa autojustificação de Dom Casmurro, que, possuído pelo ciúme, exilara a família. O livro, assim, solicita três leituras sucessivas: uma, romanesca, onde acompanhamos a formação e decomposição de um amor; outra, de ânimo patriarcal e policial, à cata de prenúncios e evidências do adultério, dado como indubitável; e a terceira, efetuada a contracorrente, cujo suspeito e logo réu é o próprio Bento Santiago, na sua ânsia de convencer a si e ao leitor da culpa da mulher.

Como se vê, uma organização narrativa intrincada, mas essencialmente clara, que deveria transformar o acusador em acusado. Se a viravolta crítica não ocorre ao leitor, será porque este se deixa seduzir pelo prestígio poético e social da figura que está com a palavra. Aliás, como recusar simpatia a um cavalheiro distinto e sentimental, admiravelmente bem-falante, um pouco desajeitado em questões práticas, sobretudo de dinheiro, sempre perdido em recordações da infância, da casa onde cresceu, do quintal, do poço, dos brinquedos e pregões antigos, venerador lacrimoso da mãe, além de obcecado pela primeira namorada? Em consequência, a despeito das decisivas indicações em contrário, prevaleceu a leitura conformista. Para exemplo do tom que iria dominar, até entre críticos notáveis pela sutileza, sirva um trecho tomado à primeira exposição de conjunto da obra machadiana, publicada em 1917.

> Passemos agora a *Dom Casmurro*. É um livro cruel. Bento Santiago, alma cândida e boa, submissa e confiante, feita para o sacrifício e para a ternura, ama desde criança a sua deliciosa vizinha, Capitolina — Capitu, como lhe chamavam em família. Esta Capitu é uma das mais belas e fortes criações de Machado de Assis. Ela traz o engano e a perfídia nos olhos cheios de sedução e de graça. Dissimulada por índole, a insídia é nela, por assim dizer, instintiva e talvez inconsciente. Bento Santiago, que a mãe queria fosse padre, consegue escapar ao destino que lhe preparavam, forma-se em direito e casa com a companheira de infância. Capitu engana-o com o seu melhor amigo, e Bento Santiago vem a saber que não é seu o filho que presumia do casal. A traição da mulher torna-o cético e quase mau.[1]

A adesão do crítico ao ponto de vista a ser questionado não podia ser mais completa.

Helen Caldwell, a quem as acusações de Bentinho a Capitu pareceram infundadas e ditadas pelo ciúme, publicou o seu *The Brazilian Othello of Machado de Assis* em 1960. Punha a descoberto o artifício construtivo da obra, a ideia insidiosa de emprestar a Otelo o papel e a credibilidade do narrador, deixando-o contar a história do justo castigo de Desdêmona. No básico, a charada literária que Machado armara estava decifrada.[2]

Também o avanço seguinte se deveu a um crítico de fora, John Gledson, num livro cheio de perspicácia e espírito democrático. O estudo retoma a tese de Caldwell segundo a qual o ponto de vista de Bento Santiago, que está com a palavra, é especioso. Contudo, as razões encontradas para a falta de objetividade de

---

1. Alfredo Pujol, *Machado de Assis*, São Paulo, Typographia Levi, 1917, p. 240.
2. Helen Cadlwell, *The Brazilian Othello of Machado de Assis*, Berkeley, University of California Press, 1960.

Dom Casmurro agora são mais complexas. Atrás da agitação sentimental de primeiro plano, Gledson identifica a presença de interesses propriamente sociais, ligados à organização e à crise da ordem paternalista. Em lugar do novo Otelo, que por ciúme destrói e difama a amada, surge um moço rico, de família decadente, filho de mamãe, para o qual a energia e liberdade de opinião de uma mocinha mais moderna, além de filha de um vizinho pobre, provam ser intoleráveis. Nesse sentido, os ciúmes condensam uma problemática social ampla, historicamente específica, e funcionam como convulsões da sociedade patriarcal em crise.[3]

Assim, depois de encantar várias gerações, o lirismo do Casmurro começa a mostrar aspectos dúbios, para não dizer odiosos — com grande vantagem para a qualidade do romance. Nascida da antipatia a prerrogativas de marido, de proprietário ou de detentor da palavra, essa viravolta na leitura torna eloquentes as passagens opacas do livro, que a outra interpretação forçosamente passava por alto. Examinados com o recuo devido, os compassos débeis mudam de figura para se mostrarem cruciais, como pistas ou também como sintomas: raciocínios truncados, precisões que se diriam supérfluas, interpretações descabidas, fórmulas anódinas em excesso, procedimentos artísticos arbitrários, tudo adquire relevo novo, *dando um depoimento inesperado sobre o narrador*. No mesmo sentido, a singeleza amaneirada do tom, favorita das antologias de colégio, passa a funcionar como um ápice de duplicidade. Não custa lembrar a propósito que Dom Casmurro se aparenta por vários lados com o romance policial e a psicanálise, que estavam nascendo.

Observe-se que essa leitura a contrapelo, uma exigência escondida mas estrutural do livro, forma-se entre os traços essen-

---

[3]. John Gledson, *The Deceptive Realism of Machado de Assis*, Liverpool, Francis Cairms, 1984.

ciais da ficção mais avançada do tempo. Como o seu contemporâneo Henry James, Machado inventava *situações narrativas*, ou *narradores postos em situação*: fábulas cujo drama só se completa quando levamos em conta a falta de isenção, a parcialidade ativa do próprio fabulista. Este vê comprometida a sua autoridade, o seu estatuto superior, de exceção, para ser trazido ao universo das demais personagens, como uma delas, com fisionomia individualizada, problemática e sobretudo inconfessável.[4] Não há dúvida quanto ao passo adiante em relação ao objetivismo de realistas e naturalistas: também o árbitro é parte interessada e precisa ser adivinhado como tal. Mas, como bem observa Gledson, refutando a interpretação em voga, a conduta capciosa do autor-protagonista não suspende o conflito social nem a História, muito pelo contrário.[5] Dramatizado no procedimento narrativo, o antagonismo dos interesses vem ao primeiríssimo plano, onde o seu caráter de relação social conflitiva opera na plenitude, objetivamente, ainda que a crítica não o costume notar.

Ao adotar um narrador unilateral, fazendo dele o eixo da forma literária, Machado se inscrevia entre os romancistas inovadores, além de ficar em linha com os espíritos adiantados da Europa, que sabiam que toda *representação* comporta um elemento de *vontade* ou *interesse*, o dado oculto a examinar, *o indício da crise da civilização burguesa*. Também na esfera local, das atitudes e ideias sociais brasileiras, as consequências da nova técnica eram audaciosas. O nosso cidadão acima de qualquer suspeita — o bacharel com bela cultura, o filho amantíssimo, o marido cioso, o proprie-

---

4. James fala inúmeras vezes de sua preferência pela combinação da anedota interessante com um ângulo de observação limitado, cuja componente pessoal pode mas não precisa estar explícita. Ver, por exemplo, os prefácios a *The Golden Bowl* e a *The Ambassadors*, in *The Art of the Novel*, Nova York, Charles Scribner, 1937.
5. Op. cit., capítulo introdutório.

tário abastado, avesso aos negócios, o arrimo da parentela, o moço com educação católica, o passadista refinado, o cavalheiro *belle époque* — ficava ele próprio sob suspeição, credor de toda a desconfiança disponível. Do ângulo da ideologia artística nacional, enfim, o narrador cheio de credenciais mas privado de credibilidade configurava igualmente uma situação inédita, difícil de aceitar, em contraste marcado com a anterior. Superavam-se as certezas edificantes próprias ao ciclo da formação da nacionalidade, certezas segundo as quais a atualização artística e a aquisição de aptidões literárias seriam serviços inquestionáveis prestados à pátria pelos seus dedicados homens cultos.[6] Quando, pela primeira vez em nossas letras, com Machado de Assis, a inteligência da forma bem como as ideias modernas comparecem livres de inadequação e diminuição provinciana, já não é dentro do anterior espírito de *missão*. Por exemplo, os excelentes recursos intelectuais vinculados a Bento Santiago não representam uma contribuição a mais para a civilização do país, e sim, ousadamente, a cobertura cultural da opressão de classe. Longe de ser a solução, o refinamento intelectual da elite passa a ser uma face — com aspectos diversos, positivos e também negativos — da configuração social que o romance saudosamente relembra, ou desencantadamente põe a nu.

...

Apreciado nas grandes linhas, *Dom Casmurro* se compõe de duas partes muito diferentes, uma dominada por Capitu, outra por Bento, ou, ainda, uma sob o signo do espírito esclarecido, outra sob o signo do obscurantismo.

---

6. Antonio Candido, "Uma literatura empenhada", in *Formação da literatura brasileira*, São Paulo, Martins, 1969, vol. I.

Na primeira, o jovem casal de namorados luta contra a superstição e o preconceito social. A superstição é de dona Glória, a mãe, que havia prometido o filho à Igreja por medo de perdê-lo no parto. Já o preconceito se prende à diferença de situações: Capitu é filha de vizinhos pobres, meio dependentes de dona Glória, enquanto Bentinho pertence a uma família de classe dominante, cujo chefe havia sido fazendeiro e deputado, e deixava bastante propriedade. Capitu dirige a campanha do casalzinho com esplêndida clareza mental, compreensão dos obstáculos, firmeza — qualidades que faltam inteiramente a seu amigo. As manobras terminam bem, pelo triunfo do amor e pelo casamento, que se sobrepõem às posições de classe. O conflito que se anunciava não chega à tona, contornado pela habilidade da moça, que conquista as boas graças da futura sogra, de quem aplaca os escrúpulos religiosos. Como é natural, o leitor de coração bem formado toma o partido dos namorados, contra o seminário e contra as intrigas familiares, ou seja, o partido das Luzes, contra o mito e a injustiça.

A segunda parte começa por capítulos de felicidade conjugal. A velha casa da mãe e da infância em Matacavalos foi trocada por outra nova, na Glória. O único senão é a ausência de um filho, que custa a vir. Mesmo isso depois de algum tempo se resolve com o nascimento de Ezequiel. O menino é esperto, dado a fazer imitações. Entre as pessoas que imita está o melhor amigo do casal, o Escobar, com quem começa a ficar parecido. A certa altura Escobar, que era nadador, morre afogado. No velório, homens e mulheres choram. Subitamente Bento para de chorar: nota lágrimas nos olhos de Capitu, que olhava o morto. O habitual ataque de ciúmes desta vez é tão forte que Bento não consegue ler as palavras de despedida que havia redigido para pronunciar no cemitério. As aparências enganam, e os presentes aplaudem a comoção do amigo, num exemplo de ilusão possível. Parecia amizade, mas não era, como as lágrimas de Capitu — aliás poucas — podiam parecer adúlteras sem o serem, como a semelhança entre Ezequiel e Escobar podia ser acaso.

O fato é que Bento acha o filho mais e mais parecido com o outro. Afasta-se de Capitu e se torna o Casmurro. Quer matar a mulher, o filho e a si mesmo. A certa altura para buscar distração vai ao teatro, onde vê o *Otelo*. Em lugar de entender que os ciúmes são maus conselheiros e as impressões podem trair, Bento conclui de forma insólita: se por um lencinho o mouro estrangulou Desdêmona, que era inocente, imaginem o que eu deveria fazer a Capitu, que é culpada! A indicação ao leitor não podia estar mais clara: a personagem narradora distorce o que vê, deduz mal, e não há razão para aceitar a sua versão dos fatos.

Este o protagonista *tendencioso* que na página final formula a célebre pergunta pelo "resto do livro", pelo sentido geral do romance. "O resto" — diz Dom Casmurro — "é saber se a Capitu da praia da Glória já estava dentro da de Matacavalos, ou se esta foi mudada naquela por efeito de algum caso incidente." Ou seja, tudo está em decidir se Capitu foi pérfida desde sempre ou só depois de casada. Ostensivamente, o que se examina é a pureza do primeiro amor: não seria impuro ele também, apesar da poesia? O efeito sub-reptício entretanto é outro, pois no principal a pergunta tem a vantagem, para o narrador, de assegurar a resposta desejada. Com efeito, se a dúvida diz respeito ao momento a partir do qual houve culpa, não sobra lugar para a hipótese da inocência. A mesma ratoeira expositiva se repete na frase seguinte, agora com apoio bíblico. Bento lembra o bom conselho de Jesus, filho de Sirach, que manda não ceder ao ciúme para que a mulher "não se meta a enganar-te com a malícia que aprender de ti". Ainda aqui a disposição para a incerteza serve de manto ao direito do mais forte, à incriminação sem espaço para resposta: tudo se resume em saber se a infidelidade de Capitu — positiva e subtraída portanto a eventuais objeções — foi efeito das constantes desconfianças do marido ou se já estava lá, na menina, "como a fruta dentro da casca". Esse *finale* em falso, em forma de sofisma, avalizado não obstante pelo Livro Sagrado, pelo sofrimento do narrador, pela sua cultura sentimental e literária, e também pelo valor por assim dizer *conclusivo* que costumamos reconhecer às últimas palavras dos romances, dá bem a medida da audácia artística de Machado de Assis.

Isso posto, um balanço equilibrado talvez dissesse o seguinte. Impossível decidir se Ezequiel é filho ou não de Escobar, já que a semelhança entre os dois, reconhecida por Capitu, prova pouco num livro deliberadamente repleto de fisionomias parecidas e coincidências de todo tipo — outros tantos avisos contra deduções precipitadas. Tanto mais que o romance tem um de seus assuntos *modernos* no impacto consciente ou inconsciente do interesse na formação do juízo, ou, para vir ao caso, nas parecenças que se notam ou deixam de notar. Dois anos depois, Thomas Mann publicaria *Os Buddenbrook*, cuja ironia também consiste, ao menos em parte, na relativização psicológica das certezas naturalistas sobre a hereditariedade. Em suma, não há como ter certeza da culpa de Capitu, nem da inocência, o que aliás não configura um caso particular, pois a virtude *certa* não existe. Em compensação, está fora de dúvida que Bento escreve e arranja a sua história com a finalidade de condenar a mulher. Não está nela, mas no marido, o enigma cuja decifração importa.[7]

Qual o sentido desse deslocamento? Vimos que na primeira metade do livro o amor, a inteligência e a confiança recíproca de

---

7. "Em resumo: os críticos estavam interessados em buscar a verdade sobre Capitu, ou a impossibilidade de se ter a verdade sobre Capitu, quando a única verdade a ser buscada é a de Dom Casmurro." Silviano Santiago, "Retórica da verossimilhança", in *Uma literatura nos trópicos*, São Paulo, Perspectiva, 1978, p. 32. Silviano detecta os recursos intelectuais do ex-seminarista e do advogado na técnica narrativa do Casmurro, bem como o caráter brasileiro dessa combinação.

um casal levam a melhor sobre uma promessa ao céu e sobre a prevenção de classe. A vitória não dura, pois na segunda metade o universo tradicional vai reaparecer e se impor, agora dentro do próprio casal. O marido narrador evolui para um clima especialíssimo de poesia envenenada, entre patético, desgovernado e prepotente, propriamente reacionário, cuja fixação é um dos méritos notáveis do romance. À luz das incuráveis suspeitas de Bento, a vontade clara e a lucidez de Capitu são rebaixadas a provas de um caráter interesseiro e dissimulado, ao passo que a admiração com que o mesmo Bento havia obedecido às instruções dela faz figura de simplicidade risível. Começou a difamação escarninha e sombria das qualidades prezadas da Ilustração, indispensáveis à realização do indivíduo. Contudo, uma vez relativizado o valor de prova de semelhanças e coincidências em que se baseia a advocacia especiosa do narrador, fica em destaque a disposição suspeitosa ela mesma, que de efeito passa a causa. Agora o que chama a atenção do leitor são os paroxismos de ciúme a que Bento é dado desde sempre, anteriores à paternidade e ao casamento. Ainda adolescente ele queria rasgar a amiga com as unhas, julgá-la e talvez perdoá-la por crimes que ele inventava segundo a necessidade íntima.[8] Os episódios dessa natureza são diversos e, uma vez ligados entre si, redefinem o caráter de quem está com a palavra, bem como o valor desta, alterando inteiramente a configuração do conflito. Se a primeira leitura não vai por aí é porque a arte literária do Casmurro dirige a nossa desconfiança noutro sentido, e também porque evoca as crises de ciúme em ordem dispersa, como fatos de diferentes gêneros, e não como um problema. Trata-as como singularidades psicológicas, anedotas da vida ginasiana, acidentes esporádicos, ilustrações de um temperamento impulsivo e ingênuo, às voltas com a dissimulação feminina e a frieza da

---

8. *Dom Casmurro*, cap. LXXV.

razão. Assim, a identificação tardia do algoz em quem se presumia a vítima, bem como o desmascaramento das avaliações misóginas e obscurantistas que permitiram aquele quiproquó, decorrem da travação básica da obra. Vimos que não há como responder à dúvida final quanto à época em que se teria definido o caráter de Capitu. Para o caso do narrador, pelo contrário, não há dúvida possível: o ciumento da Glória já existia pronto e acabado no menino de Matacavalos, com uma diferença de que falaremos. Isso posto, a virada interpretativa excede em alcance o fascínio algo tacanho do traiu-não-traiu e também o âmbito familiar a que o conflito parece confinado. Para apreciá-la é preciso trazer à frente a componente social das personagens, quando então se notará uma ordem e um destino históricos em movimento. Os atores formam um sistema social rigoroso, dotado de necessidade interna, distante das razões sentimentais e de pitoresco, ou seja, românticas, que levaram o Casmurro a lembrá-las com notável precisão.

. . .

Examinada nas suas relações, a população de *Dom Casmurro* compõe uma *parentela*, uma dessas grandes moléculas sociais características do Brasil tradicional. No centro está um proprietário mais considerável — inicialmente dona Glória —, cercado de parentes, dependentes, aderentes e escravos, todos mais ou menos atados à vontade e aos obséquios daquele. A dominação toma a forma de autoridade paternal, e a subordinação, de respeito filial, ambas tingidas de devoção religiosa, já que o bom exemplo vem da relação com Deus Padre. A preeminência dos motivos católico-familiares empurra para uma decorosa clandestinidade as razões estritamente individuais e econômicas, que nem por isso deixam de existir, na forma mesma que o capitalismo e o liberalismo oitocentista haviam criado. Em confronto com esses interesses modernos, ainda que submersos, o universo das expressões, dos vínculos e raciocínios paternalistas, colhidos e apurados com mão de mestre, faz figura risível, datada como anacronismo com tintura provinciana. A apreciação inversa está igualmente posta em cena, quando então os valores tradicionais suspeitam a racionalidade burguesa de materialismo, egoísmo, calculismo etc. De outro ângulo, digamos que o mandonismo e a dependência pessoal direta, o seu complemento, excluem a conduta autônoma, cujas presunções entretanto são indispensáveis à dignidade do cidadão evoluído — em pleno século XIX e num país que aspira explicitamente à civilização e ao progresso. Para marcar o caráter histórico da questão, que ultrapassa a psicologia, não custa lembrar que aquele complexo não se entende sem referência à nossa "anomalia" social, a escravidão. Nos próprios termos do tempo, esta imprimia uma nota *bárbara* à propriedade, e, no outro campo, privava de oportunidade e respeitabilidade o trabalho assalariado, obrigando boa parte dos brasileiros pobres a buscar sustento em relações de proteção e clientela.[9] Como então conciliar a dependência, que era inevitável, com a autonomia, que era de rigor? Ou ainda, como ser moderno e civilizado dentro das condições geradas pelo escravismo? A pergunta e seus impasses têm fundamento claro na ordem social armada no romance, a qual, sob aspectos decisivos, é um modelo reduzido da sociedade brasileira. Veremos que as soluções imaginárias para essa verdadeira quadratura do círculo são especialidades do sentimento-de-si nacional e da ficção machadiana.

9. "[...] alguns proprietários avarentos e barbarizados do nosso interior não compreendiam o modo de dirigir os homens livres, nem queriam executar fielmente as obrigações estipuladas." A. C. Tavares Bastos, *Os males do presente e as esperanças do futuro* (1861), São Paulo, C. E. Nacional, 1976, p. 86. Devo a citação a Walquiria G. Domingues Leão Rego, "Um liberal tardio", tese de doutoramento em Ciência Política, USP, 1989, p. 88.

José Dias é o *agregado* da família Santiago. O termo designa uma figura que, não tendo nada de seu, vive *de favor* no espaço de uma família de posses, onde presta toda sorte de serviços. O cinquentão de estampa respeitável, com bagagem retórica e cívica, além do ar de conselheiro, que no entanto não passa de um moleque de recados, concentra admiravelmente as tensões contemporâneas dessa condição geral. A personagem, e em especial a convivência *espúria* da relação de favor com aspirações de independência e cidadania, são estudadas por Machado com precisão propriamente científica. Esta reúne o sentido romântico da particularidade local e histórica a uma exigência analítica máxima, escolada no classicismo francês. A lógica interna do tipo social é construída com rigor, em complementaridade também rigorosa com a lógica dos demais tipos e das clivagens sociais dominantes, *o que firma uma arquitetura de conteúdos*. São aspectos centrais da arte literária machadiana, que vale a pena frisar, já que a crítica não lhes prestou muita atenção.

Na sua primeira aparição, José Dias anuncia a dona Glória "uma grande dificuldade".[10] Antes de explicá-la — trata-se do namoro de Capitu e Bentinho — vai prudentemente até a porta da sala, para ver se o menino não está ouvindo. A graça vem do contraste entre a gravidade vitoriana da pessoa e os cuidados subalternos a que se obriga. Está fixado o padrão do agregado distinto, que fala, pondera, conta vantagem ou destrata os vizinhos com a autoridade de alguém da família, dentro da qual contudo tem situação inteiramente incerta, dependendo sempre de acomodações mais ou menos humilhantes. A observação ou invenção de traços pessoais que iluminem a complexidade dessa posição está entre os virtuosismos de Machado. Assim, chamado a dizer o que acha, o agregado "*não abusava, e sabia opinar obedecendo*" (grifo meu).

---

10. *Dom Casmurro*, cap. III.

Analogamente, "ria largo, se era preciso, de um grande riso sem vontade, mas comunicativo, a tal ponto as bochechas, os dentes, os olhos, toda a cara, toda a pessoa, todo o mundo pareciam rir nele. Nos lances graves, gravíssimo".[11] Com efeito, quem é ele para rir com vontade própria, ou para não rir largo "se era preciso", ou para rir em "lances graves"? Há muito acerto empírico nessa descrição do riso acoronelado, cuja espessura de detalhes, entretanto, se conforma sem sobras, com economia completa, ao esquema sociológico geral, o que naturalmente é a façanha maior (salvo se sentirmos, o que também é possível, que há excesso construtivo, do qual resulta um toque redundante, embora em alto nível, barrando a força individualizadora da ação). Mais cruelmente, os excessos de zelo em certo momento trocam o sexo ao pobre-diabo, que atende Bentinho "com extremos de mãe e atenções de servo".[12] A caracterização mais engenhosa de todas talvez seja a das duas velocidades de José Dias, que ora é "vagaroso e rígido", ora "se descompõe em acionados", "tão natural nesta como naquela maneira".[13] O homem com duas marchas ecoa as funções representativa e prestativa do agregado, bem como a vivacidade de quem vive de expedientes. O leitor dirá se inventamos ao imaginar que a mesma estrutura dirige os passistas de escola de samba, vagarosos e principescos da cintura para cima, enquanto os pés se dedicam a um puladinho acelerado e diversificado.

Em todos os exemplos assistimos à conjugação da dependência pessoal com certo espetáculo de dignidade, alusivo ao estatuto do indivíduo livre na ordem burguesa moderna. Os dois elementos, na qualidade mesma de incompatíveis, são indispensáveis à composição da personagem, mas o primeiro pesa mais, pela ne-

---

11. Op. cit., cap. v.
12. Op. cit., cap. xxiv.
13. Op. cit., cap. v.

cessidade material. O fingimento salta aos olhos e tem de ser administrado a fim de prevenir algum contravapor. Quando trata com os superiores, o agregado se desdobra em adulações, pois se faltar a simpatia podem não lhe reconhecer as fumaças de homem livre, que com isso adquirem uma empostação de comédia. Quando trata com os seus similares (para não dizer iguais, noção ausente de seu universo), põe ênfase máxima na dignidade, que se transforma no oposto autoritário e farsesco dela mesma, já que a sua garantia está no prestígio social da família dos protetores, no qual o agregado toma carona. O lado satírico da caracterização, centrada no vazio dessa respeitabilidade, dispensa comentários. Contudo, à medida que lhe entendemos a necessidade social, além do pobre proveito para o interessado, que com toda a sua diplomacia não consegue nada, as imposturas deste vão nos parecendo menos "condenáveis", e terminam por ser simpáticas, um modo de sobreviver em circunstâncias adversas. Em todo caso parecem mais verdadeiras que a respeitabilidade complementar e igualmente vazia dos ricos, disfarçada de discrição e poesia. A indicação desse parentesco é uma das ousadias do livro.

    José Dias cultua a gramática, a prosódia, a gravata lavada, o direito, as belas-letras, a história pátria, ou seja, a face representativa da ordem. Ele ama também os superlativos, que dão "feição monumental às ideias",[14] e revira os olhos de gosto quando acerta uma expressão capaz de merecer o aplauso, suponhamos, de um lente em teologia.[15] A linha mestra da caracterização passa pelo pernosticismo do pé-rapado, que vibra com a cultura dos senhores a ponto de *esquecer o seu lugar*, em sentido literal. Há um lado abjeto nessa adesão, pois as delícias que ela proporciona, compensando em imaginação o desvalimento social efetivo, excluem a

---

14. Op. cit., cap. IV.
15. Op. cit., cap. LXI.

revolta, a formação do critério próprio e a reflexão a respeito. Mas há também um lado astuto, já que a identificação visceral com os proprietários representa uma vantagem relativa, sobretudo na competição com os demais candidatos à proteção, a quem José Dias metodicamente opõe a superioridade de sua fala e seus modos. De outro ângulo, o amor ignaro do agregado pelas coisas do espírito termina por lançar a descrença também sobre estas últimas. Com toda candura, ele as encara como adereço da gente fina e as reduz a fachada. A redução não deixa de ser um acerto, pois reflete o funcionamento possível da cultura oitocentista numa sociedade que aparta da civilização grande parte de seus membros, quando não os mantém na senzala, ao passo que outra boa parte, embora inserida e desejosa de participar, não dispõe da independência pessoal necessária às opiniões próprias. Nesse sentido, a sátira à vacuidade sentenciosa de José Dias visa uma constelação nacional, e aliás atinge em cheio os ideais de historiografia saudosista alimentados pelo próprio Casmurro, ornamentos também da propriedade e da ordem estabelecida. A reciprocidade de vícios entre senhores e escravos, observada por Nabuco, se pode estender à relação entre senhores e clientela.[16] Por outro lado, essa verdade local da sátira, interessante nela mesma, não lhe esgota o alcance. É como se nas circunstâncias brasileiras se apurasse e viesse à linha de frente uma dimensão de privilégio que nas sociedades europeias, com trabalho livre e cidadania menos precária, podia parecer inessencial, superada ou assunto de opereta, sem prejuízo da vigência profunda: o aspecto encasacado, melhor-que--os-outros, antidemocrático, ou, em suma, o laço de origem entre a liberdade e a propriedade burguesa — que fala ao coração de José Dias — existe e até hoje não se esgotou por completo em parte alguma. Por fim, note-se que o agregado leva o amor dos

16. Joaquim Nabuco, *O abolicionismo* (1883), Rio de Janeiro, Vozes, 1977, p. 68.

formalismos à última consequência, que é a descrença nas formas elas mesmas. Assim, ele salta de uma a outra conforme a sua conveniência e sem constrangimento, desobrigado de consistência, com desapreço vertiginoso pela dignidade que cultua, o que lhe proporciona uma espécie de liberdade de movimento diante de seus senhores. Veja-se a propósito a notável falta de amor-próprio — um soldado Schweyk nacional — com que, para não cumprir uma ordem, reconhece que é um charlatão, isso sem desvestir nem por um momento o acento elevado: "Eu era um charlatão... Não negue. [...] para servir a verdade, menti; mas é tempo de restabelecer tudo".[17]

A gama das relações de dependência paternalista no romance é variada e escolhida. Além do proprietário e do agregado, as figuras incluem escravos, vizinhos com obrigações, comensais, parentes pobres em graus diversos, conhecidos que aspiram à proteção, ou pessoas simplesmente que sabem da importância ou da fortuna da família, o que já basta para inspirar certa reverência. Trata-se de uma unidade numerosa e solta, o que Gilberto Freyre, em *Sobrados e mucambos*, descreve como a persistência da grande família rural da Colônia em condições de cidade e europeização oitocentista. Quanto à consistência da concepção, não há exagero em dizer que todos os tipos valem a pena de uma análise atenta e têm algo de interessante e diferenciado a ensinar no capítulo, além do substrato comum, consubstanciado pelo conjunto. Para as finalidades desta discussão nos limitaremos aos polos principais. — No próprio campo dos dependentes, o oposto de José Dias é Capitu. A diferença, ligada ao mandamento moderno de autonomia da

---

17. *Dom Casmurro*, cap. v. Ver também *As aventuras do bom soldado Schweyk* (1920), do escritor tcheco Jaroslaw Hašek. O herói do livro sobrevive à Primeira Guerra Mundial graças à sua grandiosa falta de amor-próprio. A personagem foi retomada depois numa peça teatral de Bertolt Brecht.

pessoa e objetividade do juízo, ou, noutras palavras, ao choque entre a norma paternalista e a norma burguesa, tem significado moral saliente. Sem prejuízo das constantes artimanhas, o agregado não se concebe propriamente como indivíduo, à parte da família a que serve, com a qual se confunde em imaginação e cuja importância lhe empresta o sentimento da própria valia. A sujeição ao marido de dona Glória, depois à viúva e finalmente ao filho não é uma contingência externa, mas o molde do seu espírito, cujas manifestações não se desprendem nunca da necessidade imediata de agradar e emprestar lustre.

Capitu, pelo contrário, satisfaz os quesitos da individuação. A menina sabe a diferença entre compensações imaginárias e realidade, e não tem apreço pelas primeiras. Em país tão sentimental, ainda mais em se tratando de mocinhas, deve-se assinalar o incomum dessa iniciativa machadiana de estudar a beleza, a aventura e a tensão próprias ao uso da razão. Assim, quando a santa mãe de Bentinho resolve cumprir uma promessa e mandar o filho para o seminário, pondo em risco os planos conjugais da vizinha pobre, esta explode num raro espetáculo de independência de espírito e inteligência. É Bento quem primeiro lhe traz as novas, que a deixam lívida, os olhos vagos, olhando para dentro, "uma figura de pau", o tempo de se dar conta da situação; depois ela rompe no inesperado " — Beata! carola! papa-missas!". Capitu não só tem desígnios próprios, os quais consulta, como tem opinião formada e crítica a respeito de seus protetores, e até da religião deles. Em seguida ela reflete, aperta os olhos, quer saber circunstâncias, respostas, gestos, palavras, o som destas, presta atenção nas lágrimas de dona Glória, "não acaba de entendê-las".[18] "Era minuciosa e atenta; a narração e o diálogo, tudo parecia remoer consigo. Também se pode dizer que conferia, rotulava e pregava na memória a

---

18. Op. cit., cap. XVIII.

minha exposição."[19] Notícia exata e verificação interior, uma certa recapitulação crítica da situação, vão juntas, indicando o nexo entre liberdade de espírito e objetividade, esta última um verdadeiro esforço metodizado de pensamento. A clareza na decisão supõe distância em relação ao sistema de sujeições, obrigações e fusões imaginárias do paternalismo.

O brilho de Capitu decorre também da comparação com os demais dependentes. Já vimos que José Dias compensa a precariedade da situação de agregado com superlativos e futricas. Também prima Justina, uma parenta pobre, equilibra a autoestima falando mal de ausentes e participando com a curiosidade e os olhos do amor nascente do filho da casa, outro modo de se consolar de um destino mesquinho. O confronto mais interessante se faz com o próprio Bento, que enquanto não casa deve ser incluído no campo dos sujeitados a dona Glória. Quando tenta dizer à mãe que não pode ser padre como ela desejava, porque quer casar com Capitu, algo nele fraqueja e ele sai com o incrível "eu só gosto de mamãe", o contrário do que tencionava.[20] *Em face da autoridade o seu propósito se desmancha.* Outra saída — naturalmente em sonho — seria pedir ao imperador que intercedesse junto à mãe, que então cederia à autoridade por sua vez.[21] Em ambas as linhas não podia ser mais completa a superioridade de Capitu: ela não foge da realidade para a imaginação, e é forte o bastante para não se desagregar diante da vontade superior.

Isso posto, Capitu não é Capitu só porque pensa com a própria cabeça. Embora emancipada interiormente da sujeição paternalista, exteriormente ela tem de se haver com essa mesma sujeição, que forma o seu meio. O encanto da personagem se deve à

19. Op. cit., cap. XXX.
20. Op. cit., cap. XLI.
21. Op. cit., cap. XXIX.

naturalidade com que se move no ambiente que superou, cujos meandros e mecanismos a menina conhece com discernimento de estadista. É como se a intimidade entre a inteligência e o contexto retrógrado comportasse um fim feliz, uma brecha risonha por onde se solucionassem a injustiça de classe e a paralisia tradicionalista, algo como a versão local da "carreira aberta ao talento". — A propósito do caráter da amiga, o Casmurro observa que não lhe faltavam ideias atrevidas;

> mas eram só atrevidas em si, na prática faziam-se hábeis, sinuosas, surdas, e alcançavam o fim proposto, não de salto, mas aos saltinhos. Não sei se me explico bem. Suponde uma concepção grande executada por meios pequenos. Assim, para não sair do desejo vago e hipotético de me mandar para a Europa [uma saída lembrada pela moça], Capitu, se pudesse cumpri-lo, não me faria embarcar no paquete e fugir; estenderia uma fila de canoas daqui até lá, por onde eu, parecendo ir à fortaleza da Laje em ponte movediça, iria realmente até Bordéus, deixando minha mãe na praia, à espera.[22]

O trecho pode e deve ser lido em várias chaves, pois tanto expressa a fascinação de Bento pela feminilidade de Capitu como serve no processo movido pelo marido contra a mulher, lembrando que ela desde cedo fora ambiciosa, calculista, oblíqua e inimiga da futura sogra. Há outra leitura ainda, atenta ao conteúdo social das relações, que oferece a vantagem de articular a conduta de Capitu à das demais figuras, de modo a lhes tornar visível o sistema. Com efeito, a desproporção entre fins e meios, central no retrato, reflete os constrangimentos práticos da moça esclarecida nas circunstâncias locais. Com muxoxo oligárquico, as "ideias atrevidas" designam eventuais resultados da independência de

---

22. Op. cit., cap. XVIII.

espírito da personagem, projetos *individuais* que escapam ao limite da conformidade respeitosa. Já o recurso aos "saltinhos", por oposição à presumível franqueza de um pulo grande (que seria masculino, e não feminino? que não seria atrevido?), registra a necessidade em que se encontram os dependentes de obter o favor de seu patrono a cada passo, sem o que caem no vazio. Faz parte da lógica do paternalismo que os possíveis objetivos não se assumam enquanto tais e a título individual, mas, filialmente, como conveniências do protetor, o que não só os viabiliza, como legitima. Daí as canoas e a fortaleza da Laje, em lugar do paquete e de Bordéus, já que fins familiares são mais fáceis de impingir. As maneiras "hábeis" e "sinuosas" de Capitu representam a política de decoro, ou, segundo o ponto de vista, a hipocrisia requerida por esse arranjo. Por outro lado é característica do Casmurro e de sua ideologia de classe apresentar como deficiência moral, como falta de franqueza, a política de olhos baixos imposta pela sua própria autoridade, sem prejuízo de considerar "atrevimento" a conduta contrária. Como parte de sua confusão, ou de sua complexidade, note-se ainda como um tipo de conduta com fundamento na estrutura mesma da sociedade brasileira lhe aparece ora como falta de caráter de sua mulher, ora como elemento de interesse erótico, ora como característica geral e desabonadora da psicologia feminina. Seja como for, estará claro o fundo comum entre as manobras de Capitu, o riso sem vontade de José Dias, os pânicos de Bentinho diante da mãe e o susto de prima Justina quando lhe pedem a opinião. O significado dessas variações sobre uma situação de dependência básica fica incompleto, contudo, enquanto não passamos ao outro polo, que as determina, o polo da autoridade dos proprietários.

Ao enviuvar, dona Glória vende a fazenda e compra "uma dúzia de prédios, certo número de apólices", além de escravos, que aluga ou põe no ganho.²³ A família Santiago e a casa de Matacavalos agora vivem de rendas. Sem índole de chefe, a viúva é boa criatura, devota, apegada com o filho e voltada para os serviços da casa. Ainda assim, a sua autoridade não padece dúvida, como indicam os cuidados para não contrariá-la, que sem exceção todos tomam. O mando decorre da propriedade, mesmo se o proprietário não é cioso. Algo semelhante vale para a virtude. Dona Glória, conforme o filho lhe faz gravar na sepultura, é *uma santa*.²⁴ Isso embora ela o tivesse prometido à vida de padre sem o consultar, embora o internasse no seminário contra a sua vontade ("Deixa de manhã, Bentinho"),²⁵ e embora mais adiante aceitasse um subterfúgio esfarrapado para voltar atrás em sua promessa. Noutras palavras, um pouco de superstição, autoritarismo e capricho em absoluto afetam a santidade das mães de família ilustre, antes pelo contrário. Em situação patriarcal, os deslizes práticos não mancham a bondade por assim dizer transcendental dos pais e chefes, a qual forma um halo em volta da propriedade. Note-se por fim que a dignidade do marido narrador irá se beneficiar do mesmo caráter inquestionável — até segunda ordem, quando se transforma em alvo de sátira. A gesticulação respeitável e civilizada da classe proprietária lhe torna invisível a conduta efetiva, em cuja pormenorização o espírito crítico de Machado se deleita.

Depois de sair do seminário, estudar direito em São Paulo e casar, Bento se torna proprietário por sua vez. A formação à qual assistimos na parte inicial do livro agora vai se mostrar em suas consequências. À primeira vista, aquela parte formativa é uma crônica de saudades, cheia de afagos maternos, de emoção filial, inocência, apego a cenas e lugares da infância, tudo percorrido de

23. Op. cit., cap. VII.
24. Op. cit., cap. CXLII.
25. Op. cit., cap. XLI.

arrepios libidinosos e sentimentos de culpa. No conjunto, um ranço perverso e consistente, que lembra o clima do romantismo-família de Casimiro de Abreu, a configuração sentimental que Mário de Andrade identificou em "Amor e medo".[26] À segunda leitura, tão fundada quanto a primeira, a crônica de saudades aparece como a documentação de um diagnóstico severo e *moderno* do mundo paternalista: aí estão o manejo irresponsável e caprichoso da autoridade, a que correspondem o parasitismo e a sujeição bajuladora ou assustada; os estudos superiores sem vocação ou seriedade, com propósito ornamental; a religião frouxa, pouco interiorizada, dando cobertura a toda sorte de interesses menos católicos etc. Como dizia de si mesmo Brás Cubas, ao concluir um capítulo semelhante, sobre a sua educação: "Dessa terra e desse estrume é que nasceu esta flor".[27]

Note-se que esse diagnóstico negativo decorre da *outra* norma, ou também da norma *por excelência*. Trata-se do ideal da sociedade composta de indivíduos livres e responsáveis, quer dizer, nem escravos nem dependentes, ideal infuso na civilização burguesa europeia, em relação ao qual a sociedade brasileira — que não tinha como não se medir por ele, salvo ao preço de saltar fora da atualidade — aparecia como *errada*. Assim, metodicamente equívoca, a narrativa dá curso simultâneo ao encantamento e à condenação da ordem paternalista, imprimindo ubiquidade à preferência, meio culposa meio assumida, por formas de vida caducas.[28]

---

26. Mário de Andrade, "Amor e medo", in *Aspectos da literatura brasileira* (1935), São Paulo, Martins, s. d.
27. Machado de Assis, *Memórias póstumas de Brás Cubas* (1880), cap. IX.
28. Uma ilustração sugestiva desses desajustes encontra-se na ironia com que *O Kaleidoscopio* (30 de junho de 1860) encarava a pregação social de Tavares Bastos. "Seu ideal na política é o *self-government*, como o entendem e praticam os ingleses. Porém para chegar-se a isto, há de se dar alma à família, para da

Bento agora é chefe de uma família abastada, advogado estabelecido, uma figura da ordem. A desestabilização interior que a autoridade lhe causava em criança já não tem razão de ser, ou melhor, talvez haja mudado de posição relativa, uma vez que a autoridade passou a ser ele mesmo. Nas novas circunstâncias as velhas turvações do juízo, a incapacidade de traçar a linha entre a vontade de quem manda e a própria, trocam de natureza. A instância mais dramática está no ciúme, que havia sido um entre os vários destemperos imaginativos do menino, e agora, associado à autoridade do proprietário e marido, se torna uma força de devastação. Embora o assunto seja da esfera privada, e o romance na segunda parte de fato se afunile em direção da dificuldade entre duas pessoas, o tema continua a ser o outro: a prerrogativa que tem o proprietário à brasileira de confundir as suas vontades, mesmo as escusas, com os foros da lei, da dignidade etc., segundo a conveniência ou inclinação do momento, e sem que os dependentes tenham como contrastá-lo. Assim, há complementaridade entre a falta de garantias e direitos destes últimos e, no campo oposto, a despeito das aparências de civilidade, a falta de fronteira clara posta ao desejo, que nas circunstâncias *não tem como se enxergar*. Daí um dos temas originais e profundos da ficção machadiana, a indisciplina mental específica à articulação brasileira de

---

família brotar o município que será a matriz das províncias, cuja união e prosperidade serão a fonte de grandeza e felicidade da pátria. Este é o índice de seu sistema governamental. Mas ah, meu caro Bastos! Pensa que em dez ou doze anos se escrevem os capítulos dessa obra? Nem em vinte, nem em trinta. Olhe: são precisos, pelo menos, cinco séculos: um, para convencer o pai de família que a sua mulher é mulher, e que são seus os filhos de sua mulher; outro, para a tal história do município; o terceiro, para demonstrar aos pernambucanos que os baianos também descendem de Adão e Eva; o quarto para os *self-governments* descobrirem onde é o Brasil; o quinto, finalmente, para se desmanchar tudo e voltar tudo ao antigo estado." Citado em Sérgio Adorno, *Os aprendizes do poder*, Rio de Janeiro, Paz e Terra, 1988, pp. 192-3.

escravidão, clientelismo e padrão contemporâneo, em especial a loucura de nossos homens bem pensantes. De outro ângulo, digamos que a malversação da credibilidade narrativa, a seu modo uma quebra de contrato — o procedimento crucial do romance —, estende as unilateralidades dessa relação de poder ao plano da forma, onde elas, desde que notadas, aparecem como intoleráveis infrações.

A trajetória de Capitu pode servir de comentário ao significado destrutivo desse desgoverno. Ao fazer um bom casamento, a mocinha escapa às condições modestas de sua família e fica — na bonita comparação machadiana — "como um pássaro que saísse da gaiola".[29] Contudo, a mesma compreensão clara das relações efetivas que havia permitido as manobras da menina agora faz que, diante dos ciúmes do marido, a mulher trate de prevenir o enfrentamento por todos os meios, renunciando à rua e à janela, terminando por viver autossequestrada, tudo naturalmente em vão. A gaiola da autoridade patriarcal voltava a se fechar, sem apelação, conforme sugere a resignação lúcida e comovente em que termina Capitu. Outro comentário tácito encontra-se nos episódios que tratam o tema da confiança recíproca, ou do pacto, com a parte de igualdade que este implica. Enquanto assiste à amamentação do filho, numa cena de domesticidade audaciosa, ocorre a Bento, muito emocionado, que aquele ser existia devido ao amor e à constância do casal.[30] No contexto, a passagem naturalmente se presta à releitura sardônica. A emoção no entanto se refere a algo real, a criações do acordo mútuo as quais, na ausência deste, não se mantêm. O assunto já havia surgido no capítulo do "juramento do poço", onde os adolescentes fazem frente contra as circunstâncias e prometem casar um com o outro, promessa de-

---

29. *Dom Casmurro*, cap. cv.
30. Op. cit., cap. cviii.

pois cumprida.[31] Embora o tópico ostensivo do romance seja a infidelidade de Capitu, à qual se prenderia a desconfiança universal do Casmurro, a matéria substantiva está na desinclinação do último pela relação entre iguais, hipótese ou tentação *moderna* — se o termo de comparação for a ordem patriarcal — que o ceticismo escarninho deve desbancar. Contrariamente ao que a melancolia desabusada do narrador faz crer, na ausência dos iguais não resta o indivíduo solitário, mas o proprietário na acepção brasileira do termo, o figurão desobrigado de prestar contas.

Nos capítulos finais assistimos a uma estranha sucessão de climas, que desenvolvem com exatidão as consequências esterilizantes embutidas no tipo social do narrador. Há aí uma fusão buñuelesca de amalucamento, decoro e maldade extremada. Assim, depois de preparar um suicídio teatral, inspirado em Catão via Plutarco, o Casmurro por muito pouco não envenena deveras o menino que lhe lembra o outro. Em seguida, para separar-se de Capitu mas guardar as aparências, Bento finge um passeio da família à Europa, onde deixa a mulher, o filho e uma governanta, viagem que passa a repetir regularmente, de modo que faz de conta que vive com os seus, que no entanto não procura, e de quem na volta dá notícias inventadas a parentes e amigos. A certa altura, muito de passagem, menciona a morte de Capitu — o encanto de sua vida e do romance — em duas frases curtas, como que para reparar um lapso. Quando o filho o visita, já rapaz, o pai deseja-lhe a morte pela lepra; não é ouvido pelo destino, que mata o moço em seguida, de tifo. A concepção do penúltimo capítulo, "A exposição retrospectiva", é propriamente genial, desde que percebamos a situação por detrás dos eufemismos da prosa. Mal ou bem Dom Casmurro se está gabando de que a sua alma "não ficou aí para um canto como uma flor lívida e solitária", nem lhe haviam

---

31. Op. cit., cap. XLVIII.

faltado "amigas que me consolassem da primeira". Reparando melhor, entenderemos que se trata de pobres moças, presumivelmente prostituídas, trazidas a um casarão afastado para ouvir as recordações de um *gentleman* de meia-idade, depois do que vão embora a pé (*calcante pede*, a expressão vem em latim, por pudor de cavalheiro ou também para marcar distinção), isso a não ser que chova, caso em que o dono da casa providencia um carro de praça.

Pois bem, como entender que a elegância da prosa dos primeiros capítulos, suprema sem nenhum exagero, seja a obra e o passatempo dessa figura nociva e patética das páginas finais? Respostas à parte, a pergunta decorre da *composição* do livro. Sob pena de ingenuidade, esta obriga à distância em relação ao que é dito, ou melhor, incita a dar a palavra a correções e adendos que a *situação narrativa* imprime ao memorialismo lírico do primeiro plano.

· · ·

Como se articulam a primeira e a segunda parte de *Dom Casmurro*? Vimos que na primeira a realização pessoal de um casalzinho está em luta com o nosso *Ancien Régime*, com as suas famílias de proprietários mandões, supersticiosos e senhores do casamento (ou celibato) dos filhos. Por ora o comando das ações cabe a Capitu, mais perspicaz e ativa que o namorado, este sempre *emocional*. Contudo, em surdina, a nitidez do antagonismo vai sendo solapada por insinuações quanto aos motivos interesseiros da moça e de seus pais. Assim, o combate entre a liberdade do indivíduo e a ordem familista, simpático entre todos, deixa margem também à avaliação conservadora, de horizonte senhorial e romântico, a qual desvia o foco para o contraste entre a emoção, que é sincera, e a inteligência, que é pérfida. Desse ângulo, a personagem *melhor* só pode ser Bentinho. Seja como for, a vitória dos moços é fácil e não aguça os conflitos ao ponto de lhes testar os termos. Essa falta geral de gravidade combina-se ao formato de cromo adotado pelo narrador, às lembranças encantadas e algo ilhadas, circunscrevendo um mundo idílico, pseudoinocente, que faz sorrir e onde tudo termina bem. Com efeito, embora não faltem os grandes momentos nesta primeira parte, a sua força não decorre em linha reta da ação, mas do espelhamento na prosa narrativa, cujo incrível teor de complexidade e ambiguidade é pautado pelos sucessos da parte final.

A crer no próprio narrador, a virada em seu caráter data da sua decepção, da revelação de que Ezequiel é filho de Escobar. À luz dessa certeza — que o romance desautoriza — a independência moral e intelectual de Capitu, sem a qual Bentinho não teria escapado à batina, troca de feição e confirma as insinuações do começo. A mulher com ideias próprias tinha que dar em adultério e no filho do outro. O Casmurro agora se identifica ao conservadorismo a que mal ou bem se havia oposto no período anterior. Clareza mental, ainda diante da autoridade, gosto pela aritmética, senso das situações, constância de propósitos ou capacidade de lidar com dinheiro passam a ser outras tantas provas de um caráter falso, e, no limite, de traição conjugal. O obscurantismo rudimentar e eficaz dessas assimilações dirige-se contra a parte de cálculo e reserva, de recuo de si e dos outros, sem a qual não há racionalidade possível para o indivíduo, ou sem a qual este não chega a se definir como tal. Mediatamente, dirige-se contra a utilização da inteligência por parte dos dependentes. O assalto à razão se completa nos requintes de desmando que apontamos nos capítulos finais. — Entretanto já vimos que a periodização mais plausível não é essa, proposta pelo narrador. A viravolta decisiva dá-se mais cedo, quando Bento deixa de ser filho e se torna marido e proprietário: o seu coração atrapalhado e "de brasa",[32] que havia

---

32. Op. cit., cap. CXLIV.

sido uma inferioridade administrada a duras penas por Capitu, agora não tem mais como ser contrastado e vai mandar. O novo Santiago não nasce da traição da mulher, mas da junção de vontades confusas, em parte inconfessáveis (o ciúme desatinado, os apetites sexuais diversos), com a autoridade patriarcal, *conjugação que descarta, ou trai, o juramento de confiança e igualdade que o moço bem-nascido fizera à vizinha pobre*. Assim, contrariamente ao que parecia, o casamento de Capitu não representa uma vitória das Luzes, mas uma reafirmação da ordem tradicional, ainda que diferida. E o ceticismo universal do Casmurro, com matizes que vão da tolerância à ferocidade, armado de todos os pés de cabra do progresso intelectual moderno, serve ao próprio de cobertura racional para faltar às exigências da dignidade burguesa, ou, por outra, autoriza — sem quebra do clima civilizado — a brutalidade do proprietário incivil. O alcance crítico da autoexposição, desde que seja percebida, é extraordinário.

Retomando essas observações em termos do movimento a que dizem respeito, notemos que o elemento dinâmico da primeira parte — a mais longa — se esgota antes do fim, com o que prova ser irreal, ao passo que um grupo de temas dispersos, sem conexão evidente à primeira vista, ainda que presentes desde o início, a certa altura se unifica e se torna a força dinâmica por sua vez, passando por cima do que prometia ser a tendência geral e lhe demonstrando o caráter ilusório. Trocando em miúdos, o amor entre a vizinha pobre e o rapazinho família, com o correspondente anseio de felicidade, de realização pessoal e mesmo de saída histórica e progressista para uma relação de classe, anima a intriga até um ponto avançado do livro, quando então a dimensão autoritária da propriedade rouba a cena e galvaniza o antigo nhonhô, que agora se enxerga como vítima, desmerece e escarnece as suas próprias perspectivas anteriores de entendimento, igualdade, lucidez, e afirma pela força a sua disposição de mandar sem prestar contas, tudo isso dentro de uma linguagem requintada e civilizada, digna e própria da *Belle Époque*. Essa a curva do romance e um de seus elementos tácitos de generalização, em que o leitor interessado poderá buscar o perfil sintético de um caminho brasileiro para a modernidade.

Há outra especificação histórica embutida no próprio elenco das personagens. O leitor estará lembrado de que ao começar o livro o pai de Bento, fazendeiro e deputado, já está morto, e que a família, depois de vender as terras, vive de rendas. Com isso fica fora do romance a atividade econômica e política dos proprietários, a bem da esfera intrafamiliar, onde as relações de dominação e sujeição paternalista serão examinadas em estado por assim dizer quimicamente puro, ou seja, deixadas a seu movimento próprio. Observe-se ainda que a exclusão das fontes de vida externas equivale a fixar o sistema em seu momento de decadência. Esse horizonte dá a nota peculiar à regressão de Bento, cujas arbitrariedades mais ou menos plangentes ou raivosas, confinadas a um âmbito estreito, já não significam senão a necessidade de encontrar-se a si mesmo. Por outro lado, essa atmosfera rarefeita permite a confluência da brutalidade senhorial brasileira com o decadentismo europeu, sob o signo da deliquescência psicológica, da prosa ultramatizada, do culto da incerteza, tudo envolto na aversão "ao grunhido dos porcos, espécie de troça concentrada e filosófica"[33] (o ponto de vista esclarecido).

No que interessa à qualidade artística, a continuidade rigorosa entre as duas partes do livro não suprime o aspecto heterogêneo e a expectativa romanesca frustrada. Essa forma eloquente e pouco harmônica esclarece o andamento peculiar da prosa, onde em surdina encontramos disseminada a mesma tensão, sob forma de enigmas, dissonâncias ou ressonâncias profundas. No conjunto,

---

33. Op. cit., cap. II.

Dom Casmurro pode ser visto como um enorme trocadilho socialmente pautado, uma fórmula narrativa audaz e de execução dificílima. As duas fisionomias do narrador, tão discrepantes, têm de ser alimentadas por uma escrita sistematicamente equívoca, passível de ser lida como expressão viva de uma como de outra, do marido ingênuo e traído bem como do patriarca prepotente. Assim, por exemplo, quando Bento explica o propósito de seu livro, que "era atar as duas pontas da vida, e restaurar na velhice a adolescência". Existe coisa mais estimável que a saudade de um viúvo desejoso de recompor o que o tempo dispersou? Mas a poesia no caso pode também ser um álibi, um modo de afetar a isenção necessária à inculpação pública de Capitu... Mesma coisa para a citação do *Fausto*, logo em seguida, que faz tremer de emoção a pena do memorialista. "Aí vindes outra vez, inquietas sombras..."[34] Agitação de repassar sensações juvenis? Ou arrepio de encarniçar-se sobre um fantasma indefeso, como pensará quem tenha em mente todo o livro? O virtuosismo de Machado na invenção de assuntos e sequências que deem realce à dualidade do narrador chega ao inacreditável.

O capítulo primeiro, onde se explica o título do romance, é um milagre de organização impalpável mas funcional. Servindo de abertura, assistimos a ligeiras escaramuças de esnobismo. Num vagão de trem, voltando à noite para o arrabalde, um cavalheiro distinto cochila para fugir às familiaridades de um cacete da vizinhança, que lhe fala da lua e dos ministros, além de recitar versos. O cacete naturalmente se tem na conta de civilizadíssimo e sente-se ofendido pela indiferença do outro, a quem passa a chamar Dom Casmurro. A vizinhança aprova a alcunha, pois os modos reclusos de Santiago também a irritam. Este conta a anedota na sua roda de amigos finos da cidade, os quais acham graça e ado-

---

34. Op. cit., caps. CXXXII e I.

tam o novo nome, completando o ciclo. Em transposição afastada e ambígua, os temas da intriga estão aí. O *gentleman* distante não destoa do modelo de civilidade europeia, com seu direito à *privacy*, o costume do anonimato citadino etc. Em contraste, a sem-cerimônia do rapaz que nem sequer havia sido apresentado aponta a capital provinciana, o país invivível, do qual o Casmurro se queixa aos amigos elegantes, que têm hábito de chá, camarote no teatro e casa em Petrópolis. Contudo, a figura do secarão inabordável deixa entrever também o patriarca furioso, que foi ocultar o seu "mal secreto" na "caverna" do bairro distante, sempre sem descuidar as aparências.[35] Isso posto, não há dúvida de que o memorialista requintado e frequentador da alta roda é este último. O convívio regular, articulado em profundidade, entre os aspectos iníquos da sociedade brasileira e os seus lados modernos e refinados está no centro da literatura machadiana.

Mas voltemos ao modo tão poético pelo qual o apelido de Bento Santiago pegou. O novo nome se deve, pela ordem, ao acaso de um cochilo, ao despeito de um poeta, à birra da vizinhança, à jovialidade de um cavalheiro, que comenta com os amigos elegantes as suas desventuras de arrabalde, e ao humorismo dos mesmos amigos, que acham justa a alcunha. O próprio Bento não desgosta dela, que será o título de sua narrativa, se não lhe ocorrer outro melhor. Muito da simpatia que o narrador conquista de entrada se deve a essa demonstração de tolerância, de aceitação da contingência e do diverso, que indicam a superioridade esclarecida de alguém que vive e deixa viver. Na verdade esse processo de fixação do nome ao sabor das preferências de uns e outros configura uma ideologia estética e política, de repercussões que vão além, um dos vários episódios-ideia que, ao lado de alegorias e teorias de bolso, compõem o ambiente reflexivo do romance. Note-se que o nome

---

35. Op. cit., caps. I e CXXXII.

no caso não é propriamente necessário, pois podia ser um outro, mas satisfaz os interessados, que puseram nele algo de si, o que, junto com o uso comum e o hábito, lhe confere certa estabilidade e legitimidade, suficientes sem serem absolutas. O nome, *como aliás as formações históricas*, resulta da vida, do tempo, das acomodações, ou por outra, não é produto de um propósito uno ou abstrato, pelo qual pudesse ser aferido criticamente. Não se pode negar algum acerto a esse minimodelo do processo social, cujo significado varia muito, segundo o âmbito a que se aplique. O seu adversário em última instância talvez seja a Revolução Francesa, a cujo programa de reconstrução racional e justa da humanidade ele se opõe. Assim, depois de contribuir para a reputação civilizada do narrador, a tolerância divertida diante da contingência funciona também em chave conservadora, como poetização do Brasil velho, da herança colonial, em cujo prolongamento está a intangibilidade do mando dos proprietários — quando então o memorialista encantador mostra a outra face. Nas quatro frases finais do capítulo esses temas, que até agora apareceram em forma de conversa solta, falsamente desprovida de intenção, passam por um adensamento vertiginoso, cujo zigue-zague prefigura o ritmo e o alcance do que vem adiante.

"Também não achei melhor título para a minha narração; se não achar outro daqui até o fim do livro, vai este mesmo. O meu poeta do trem ficará sabendo que não lhe guardo rancor." Noutras palavras, nomes e invenções não ficam menos bons ou utilizáveis por serem alheios, uma verdade materialista, que deveria inclinar a sentimentos amistosos. "E com pequeno esforço, sendo o título seu, poderá cuidar que a obra é sua." Aqui a cordialidade cede à maldade. Depois de adotar o achado do outro, e reconhecer de boa sombra o aspecto não individual em sua própria literatura, e mesmo enxergar acerto na displicência quanto ao que seja meu ou seu, o narrador muda e insinua que o poeta do trem não vai mostrar o mesmo desapego; não vai resistir à veleidade da autoria pessoal, nem — quase a mesma coisa? — à apropriação indébita. A valorização do fundo social ou coletivo da vida vem seguida da crítica à ilusão individualista e proprietária, que vem seguida do... "pega-ladrão". A mudança de tom se completa na frase final: "Há livros que apenas terão isso de seus autores; outros nem tanto". Depois dos infelizes que, havendo contribuído com o nome, julgam que a obra é sua, vêm as obras que não foram feitas por quem lhes deu o nome (e que portanto são fraudulentas?), ou pior, aquelas que nem o nome têm de seu autor. Não restou nada da anterior simpatia pelos funcionamentos socializados, que tomam algo aqui, algo ali, de uns e de outros, e devem a beleza a essa colaboração de muitos, cheia de acasos e meio involuntária. Enfim, são ousadias desencontradas e céticas sobre o tópico das quimeras de autor, *raciocínios que no entanto se tornam drásticos, desde que nos demos conta de que autoria aqui é uma primeira variante do tema da paternidade.* Com efeito, leia-se "filhos" onde está "livros" — há filhos que apenas terão isso (o nome) de seus autores; outros nem tanto — e teremos passado ao universo violento e boçal onde a vítima genérica é a honra da genitora alheia, uma humanidade composta de efes da pê. A emergência abrupta desse tom, com a sua pertinência para a caracterização do tipo social e da postura do narrador-personagem, é outra invenção incrível. Recapitulando, digamos que o rastreamento dos passos que levaram à fixação de um apelido afina com a crônica dos aspectos pitorescos e populares do Rio, de inspiração romântica e fácil; puxada para um âmbito mais "filosófico", a observação de funcionamentos coletivos, cuja poesia vem de correrem por fora da canalização burguesa da vida, aponta para a estreiteza e irrealidade desta última: a autoria, e através dela a propriedade, são processos menos obviamente individuais do que parecem; contudo, a ironia e liberdade de espírito dessa posição moderna desaparecem incontinenti quando a mesma ordem de ideias é trazida à esfera dos tabus patriarcais, reafirmados com determinação selvagem. Nada mais sugestivo como caracterização de classe do que essa sequência-ritmo, do simpático ao ousado, ao ferozmente regressivo, ou, forçando um pouco a nota, do cronista das graças locais ao socialista, ao proprietário disposto a tudo.

Dom Casmurro entrou para a literatura brasileira como a nossa busca do tempo perdido — em acepção saudosista, que deixaria Proust de cabelo em pé —, ou ainda como o romance lírico do primeiro beijo, da descoberta do amor, das devoções ingênuas, tudo destruído pela traição de uma mulher. Indicamos o avesso dessa pureza na grosseria, no autoritarismo patriarcal e de classe que o desempenho do narrador coloca em cena. O imbricamento de fundo e a reversibilidade pronta entre as autoimagens queridas da elite e as manifestações mais crassas da sua barbárie constituem um resultado crítico de primeira ordem. O ponto máximo da tensão talvez esteja na quase inviabilidade, em termos de verossimilhança, de sustentar que a fera das páginas finais e o memorialista reservado e sensível das iniciais sejam a mesma pessoa. Entretanto, acompanhando os meandros da prosa deste último pudemos constatar a presença da pontada feroz, disfarçada de elegância. No plano da intriga, vimos que faz parte de seu movimento global o naufrágio da aspiração esclarecida. Ocorre que a vitória da confusão mental do Casmurro — a que não falta nem a coincidência da sexta-feira aziaga — vai se expressar e estabilizar numa linguagem de refinamento sem precedentes na literatura brasileira, refinamento armado de todos os recursos e aberturas da literatura, da psicologia e da sociologia as menos ingênuas daquele fim de século. Que significa essa combinação, estranha sem nenhum favor? Por um lado, indica que não há motivo para supor que só porque falta à civilidade em casa o proprietário brasileiro não possa ou não queira participar dos adiantamentos da civilização contemporânea, quando todos sabemos que o contrário é a verdade. Por outro, mostrando que essa participação é efetiva, dá um quadro não apologético do progresso — da atualidade em sentido forte —, com lugar confortável para todas as regressões. Trata-se de uma espécie de contrafação da tolerância esclarecida, que é sobretudo indulgência para com os próprios momentos, sempre recorrentes, de obscurantismo. Retomando o assunto por outro prisma, a propósito dos dois registros de Santiago, note-se que ambos — o ignóbil não menos que o idealizado — funcionam como indícios quase se diria *pitorescos* de um mundo de segunda classe, de individuação limitada, onde os dinamismos modernos ficaram pela metade. Com efeito, o próprio nome das figuras principais, Capitu e Bentinho, não deixa imaginar que o romance seja sério deveras. Não há dúvida quanto à conotação nacional desse *tamanho diminuído*, recuado quanto ao nível contemporâneo, tamanho sugerido também pelo formato de vinheta dos capítulos. Este dá a objetividade da forma à distância entre a sociedade local e as outras, "adiantadas", que nos serviam de modelo. A surpresa porém está na potência que esse universo *com data vencida* guarda em relação às mesmas categorias que o rebaixam. A mistura promíscua de propriedade, autoridade e capricho, com seu cortejo de acintes à razão e à objetividade, no caso não designa apenas uma sociedade atrasada. O estudo finíssimo das inerências entre aqueles termos faz duvidar da pretensão de os separar limpamente, e planta a dúvida quanto a uma eventual sociedade composta de indivíduos racionais e estanques (o mundo de primeira classe). Num movimento característico, a ficção machadiana primeiro desqualifica a vida local, por ser matéria aquém da norma da atualidade, e em seguida desacredita a própria norma, que não resiste à prova do que se viu. A inferioridade do país é inegável, mas a superioridade de nossos modelos não convence. O narrador capcioso, que sai da regra e sujeita a convenção literária às suas prerrogativas de classe, responde aos dois momentos. Por um lado, expressa e desnuda o arbítrio, o enlouquecimento do proprietário em face de seus dependentes; por outro, faz descrer do padrão universal que, além de não impedir nada, ajuda o narrador, patriarca e proprietário, a esconder eficazmente os seus interesses impublicáveis.

OUTRA CAPITU

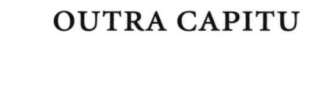

> *Vou fazer quatorze anos e já raciocino mais de que todos da família. Comecei a tirar conclusões desde dez anos ou menos, eu penso. E juro que nunca vi uma pessoa da família de mamãe pensar nas coisas. Ouvem uma coisa e acreditam; e aquilo fica para o resto da vida.*
> *São todos felizes assim!*
>
> Helena Morley, quinta-feira,
> 26 de julho de 1894

No prefácio notável que escreveu para *Minha vida de menina*, Alexandre Eulalio a certa altura observa que nada impede o leitor de imaginar que a escrita tão espontânea da guria seja obra da autora já adulta, e que se trate então de uma impostura literária. Mas conta ainda que Guimarães Rosa em conversa dizia que neste caso o diário seria até mais extraordinário, "pois, que soubesse, não existia em nenhuma outra literatura mais pujante exemplo de tão literal *reconstrução* da infância".[1] Noutro ensaio posterior, em que retoma e amplia o seu prefácio, Alexandre acredita que a hipótese do "pasticho de gênio" deva ser afastada, e conclui, agora como que sabendo mais, e criando novo mistério, que "não resta senão louvar a leveza da mão experiente que preparou para o prelo os velhos cadernos da mocinha [publicados pela primeira vez em 1942], sem deturpar em um nada o caráter genuíno deles".[2] Aqui a autora seria mesmo a menina, mas teria havido o toque final de um literato hábil e discreto, empenhado em preservar a peculiaridade dos escritos. Perguntando meio ao acaso entre admiradores do livro, ouvi como ajudas possíveis os nomes de Augusto Meyer, Cyro dos Anjos e do próprio marido de Helena, Mario Brant, a quem Drummond, louvando por seu turno o livro numa crônica, se refere como "esse excelente e hoje desconhecido escritor".[3] Ainda a respeito, voltando outro dia de Diamantina, da festa para os cem anos das anotações, a que estiveram presentes professores, pesquisadores e numerosos membros da família de Helena Morley (no civil Alice Dayrell Caldeira Brant), Marlyse Meyer me contou que as versões que corriam eram as mais desencontradas. Os originais haviam sido queimados, e aliás nunca existiram — pois a obra na verdade seria o rearranjo de um anedotário familiar —, além de estarem a salvo, guardados num baú. Elizabeth Bishop, que soube sentir a graça do livro e o traduziu para o inglês nos anos 50, quando Helena estava viva, conta na sua correspondência que não conseguiu botar os olhos nos papéis, escondidos pela família, a que a caligrafia e a ortografia precárias

---

1. Alexandre Eulalio, "Livro que nasceu clássico", in Helena Morley, *Minha vida de menina*, Rio de Janeiro, José Olympio, 1973, p. XI.
2. Alexandre Eulalio, *Livro involuntário*, Rio de Janeiro, Ed. UFRJ, 1993, p. 43.
3. Carlos Drummond de Andrade, "Helena, de Diamantina", in Helena Morley, op. cit., p. XVI.

da menina causariam vergonha. Seja como for, as cartas da poetisa deixam ver a autoridade minuciosa com que o marido acompanhou os trabalhos da tradução, e a própria Bishop imagina que as palavras iniciais da avó às netas, explicando o porquê da publicação tantos anos depois, sejam obra dele.[4] No prefácio à tradução americana, enfim, Elizabeth Bishop lembra que o dr. Brant claramente se orgulhava da mulher e da iniciativa de tornar pública a papelada dela.[5]

Quando os manuscritos estiverem disponíveis, estas incertezas talvez se desfaçam. Nem por isso teremos explicado a força do conjunto, que surpreende e deve ser a questão crítica. Sem favor, *Minha vida de menina* é um dos livros bons da literatura brasileira, e não há quase nada à sua altura em nosso século XIX, se deixarmos de lado Machado de Assis. Contudo, a despeito das muitas edições e dos grandes elogios que lhe comprovam o sucesso, a sua posição permaneceu secundária, algo assim como o presente certo para encantar estrangeiros curiosos e mocinhas que prometem. A admiração no caso foi para a vivacidade da menina, para a sua prosa sem atavios, e naturalmente para a coleção de anedotas memoráveis da vida familiar e de província. Adiante tentarei indicar as possibilidades de uma leitura que escave mais. Com efeito, não há como não ficar perplexo diante da infinidade de correspondências — impensadas? tácitas? — entre os apontamentos do diário. Uma vez que desenvolvamos o tino para elas, estaremos diante de um universo denso, capaz de autênticas revelações, a que a prosa da garota avessa ao tom pretensioso serve com propriedade absoluta, de grande literatura. Como sempre,

---

4. Elizabeth Bishop, *One Art*, Nova York, Farrar, Straus, Giroux, 1994, pp. 355, 317, 318, 376.
5. Elizabeth Bishop, "'The Diary of Helena Morley' : the Book & its Author", *The Collected Prose*, Nova York, Farrar, Straus, Giroux, 1984, p. 84.

também aqui a naturalidade bem-sucedida se prende a circunstâncias complexas e irrepetíveis, de que falaremos. O caso fica mais notável por contraste, se lembrarmos a conjunção infeliz e inconfundível que se havia estabelecido, nas letras da época, entre a crise do Brasil antigo, o contorcionismo estilístico e as ofuscações subalternas do cientificismo.

Dito isso, a dúvida sobre a autoria envolve outras questões, que interessam à crítica e que um exame dos originais possivelmente suscite. Com efeito, dependendo da natureza das correções — se é que existiram — o livro e sobretudo a sua escrita serão *grosso modo* de 1890 ou 1930, podendo haver colaboração entre os decênios. Considere-se por exemplo a justeza da fala brasileira de Helena, que ignora a literatice e não presta contas ao português de Portugal; ou ainda a sua inteligência muito independente e sem-cerimônias. À primeira vista seriam instâncias reais, documentos do fundo original e em fim de contas harmonioso da ex-colônia. Aí estaria a nossa civilização verdadeira, não oficial, estranha aos formalismos, sem reverência pelo Estado e pela Europa, civilização que adiante deslumbrou o Modernismo — o qual por seu lado a trataria de aproveitar, valorizando-lhe a diferença com o figurino burguês. Mas o percurso inverso também é pensável, caso em que os cadernos da moça é que teriam sido revistos e melhorados segundo o ideal de prosa dos modernistas mineiros, ao qual deveriam o que na outra versão lhe teriam dado, a saber, a estratégica fusão de brasileirismo, decoro modesto e inteligência atualizada. Nada impede também que o caminho tenha sido de mão dupla.[6]

---

6. Para qualificar estas hipóteses, lembremos que um linguista de Minas, provavelmente iniciado nos meandros do caso, usou a prosa de Helena como principal documento para um capítulo sobre a "linguagem familiar". Seria um atestado de autenticidade? Entretanto, como o estudo não tem pretensão histórica, pode perfeitamente acolher como familiar uma prosa corrigida depois. Ver Aires da Mata Machado Filho, *Linguística e humanismo*, Petrópolis, Vozes, 1974.

Assim, não é impossível que a diferença entre os papéis originais e o livro publicado seja grande, que a prosa tenha sido normalizada em alto nível de sabedoria literária, que tenha havido desmembramentos e recomposições por assunto, de modo a formar blocos mais consistentes e contrastantes, e que até mesmo as datas encimando as entradas não correspondam sempre à realidade, às vezes funcionando como indicações convencionais de que se trata de um diário. Haveria causa para decepção? O tema é subjetivo, mas não penso que ao ler o livro acreditemos estar diante de um documento propriamente dito, desses a que um pouco de reforma tira o crédito. Contudo, caso os originais mostrem que a invenção foi total, alcançando também a situação narrativa da mocinha que escreve um diário, alguma coisa se desarranja e a leitura muda de natureza. Muito do que em espaço de registro parecia um dado vivo e curioso, num espaço de composição estrita fará figura tosca, pseudoingênua, de insuficiência artística. Noutras palavras, não acreditávamos tampouco estar diante de literatura de imaginação em sentido próprio. Ou ainda, o interesse e a beleza da obra se prendem ao sentimento de que ela se foi compondo ao acaso dos dias, "sem intenção de arte".[7]

Em matéria estética, nada mais suspeito que a preferência pelo autor que não é artista. Ela costuma fazer parte de uma aspiração regressiva, avessa aos procedimentos pensados, à disciplina técnica e ao jogo com as complicações contemporâneas. É bem possível que o entusiasmo pelos escritos de Helena contenha algo desse viés antimoderno — mas será por equívoco, pois a beleza deles, que se prezam de não ser ingênuos, é adiantada em toda linha, apesar de involuntária até certo ponto, que vale a pena discutir. Veremos de perto a prosa amiga da inteligência, limpa de ranço literário e ideológico, vivamente voltada para os assuntos de que

---

7. Alexandre Eulalio, "Livro que nasceu clássico", p. x.

trata, os quais domina sem hesitação e com a economia de traço da familiaridade consumada. Mais que aptidões, são verdadeiras maestrias, com virtualidade artística evidente, mas em estado por assim dizer "cidadão" (por oposição a "estético"), ao qual devem a poesia especial: existem dentro da vida civil, a par de se refletirem no livro. Uma espécie de prova robusta de que a beleza é deste mundo.

Também o todo — para não avançar o sinal e não falar em composição — tem uma poesia desse tipo mais vigoroso e *real*, que excede a *fatura* artística. As entradas do diário formam unidades breves, com centro em coisas acontecidas, de órbita inteiramente díspar, que não continuam umas as outras e não se dispõem segundo o fio ordenador de uma narração abrangente. Mas é claro que a sua contiguidade aos poucos faz surgir a figura da mocinha, e à volta dela um mundo social, num conjunto solto e cheio de interesse. Isso posto — a surpresa. Atrás do âmbito explícito, e sem prejuízo da diversidade pitoresca, as anedotas e reflexões têm pertinência por assim dizer sistêmica. Apesar de sempre tingidas pela agudeza divertida de Helena, elas manifestam uma realidade pouco palpável, de outra ordem e com mais peso, que cabe à crítica perceber. Veremos complementaridades estruturais "inadmissíveis", onde o senso comum não as espera nem aprecia; rotações no significado de categorias cruciais, tais como trabalho, propriedade, parentesco, obséquio, troca, pobreza, Deus; continuidades deslocadas incríveis, paralelos funcionais indecorosos, discussões aprofundadas sem querer, por tópico interposto etc., tudo bem configurado, à espera de denominação. A despeito da unidade intuitiva e fácil de um diário de província, muito caseiro e voltado para a vida de relação, nos descobrimos num universo insuspeitado, cheio de concatenações abstratas, tão visíveis como inconscientes, cujo autor por assim dizer não existe. Ressalvada a hipótese pouco crível de fingimento literário completo, esses nexos integram a *matéria*, a natureza numerosa e recorrente das anotações, e só indiretamente, em grau impossível de fixar, a sua *composição deliberada*. São linhas de força não identificadas, cuja potência formadora só a meditação ativa dos *conteúdos* coloca em foco. A beleza do livro, bem superior à empostação colegial dos assuntos, por engraçada que esta seja, deve-se à eficácia irrefletida e disciplinadora, coesiva a seu modo, de uma sociedade em funcionamento. Como as aptidões de Helena, que brilham nas letras mas não são criação destas, a consistência de suas memórias, manifestada em matérias e maneiras as mais imprevistas, as quais em obra de imaginação seriam altas invenções artísticas, transpõe ordenamentos práticos *externos*, também eles impensados, que infundem ao conjunto uma forma *interna*. Ao experimentar-lhe o teor, bem como a produtividade e os impasses, e sobretudo ao refletir sobre seus resultados e prolongamentos, entramos em contato com o movimento e com a lógica de uma formação social, o que em fim de contas é o desiderato moderno da literatura realista, aqui alcançado — como em poucos romances da literatura brasileira — por uma obra que não é de ficção.

...

As páginas iniciais do diário, onde não faltam a privação e o trabalho, têm alguma coisa de utopia. Esse paradoxo pode nos servir de ponto de partida. Segundo explica Helena, quinta-feira é o dia bom da semana: a família levanta cedo, sob as ordens da mãe, arruma a casa e vai ao campo trabalhar, no que é "o melhor lugar de Diamantina", aliás "sempre deserto". Sem prejuízo da rotina, os dias e os lugares de que se compõe a vida não são de modo nenhum indistintos, e os melhores, ao contrário de óbvios, podem ser os menos cotados. Os meninos levam a bacia de roupa na cabeça, e as panelas e a comida no carrinho. Depois irão catar lenha, pegar passarinhos com visgo e pescar. As meninas lavam roupa embaixo da ponte, com a mãe, que cuida também do almoço. Na segunda parte do dia tomam banho e lavam o cabelo no rio, enquanto a mãe vigia se não vem ninguém. Depois estendem a roupa para secar, e todos correm o campo atrás de frutas, ninhos de passarinho, casulos de borboleta e "pedrinhas redondas para o jogo". Na volta, por cima da roupa dobrada e das panelas, os meninos trazem a lenha e o mais que apanharam, que vendem na cidade no mesmo dia.[8]

Como vemos, um conjunto alegre de atividades simples, necessárias e inocentes, na fronteira do idílico. Além de ser mínima, a diferenciação e divisão do trabalho aglutina as pessoas mais do que as separa, quase sem as especializar, sem nada de irreversível e exigindo pouca subordinação. Por outro lado, é claro que o processo de trabalho não define tudo, ainda que esteja em primeiro plano. Olhando melhor, notaremos já aqui os indícios da organização social, cujo espírito é diferente. Emídio, um dos meninos, é um *crioulo, agregado* à chácara da avó. Quem carrega a bacia de roupa em cima da cabeça é ele, ao passo que os irmãos de Helena levam as panelas em carrinho, assim como é ele quem procura a lenha, enquanto os outros caçam e pescam. Umas poucas cenas mais, e terão surgido os contornos nada igualitários da grande família patriarcal, com proprietários ricos e influentes no centro, e parentes, dependentes, afilhados, ex-escravos e desvalidos ciscando à sua volta.

Para levar em conta os dois aspectos, digamos que o trabalho, tal como o vemos aqui, atenua as cruezas inscritas na organização social. Ou ainda, que a diferenciação brasileira típica, engendrada pelos rigores da exploração colonial, no caso está voltada para as atividades muito mais simples da coleta, que a tornam supérflua e

8. Helena Morley, op. cit., pp. 5-6.

a fazem regredir (ou progredir, conforme a preferência) no sentido da cooperação de todos.[9] O confinamento feminino e a estigmatização do esforço físico por exemplo — características do patriarcalismo escravista — ficam desativados. Nesse mesmo sentido, observe-se que na volta os irmãos de Helena carregam lenha por sua vez, como aliás não se furtam a carregar pacotes de toda sorte ao longo do livro, razão pela qual os parentes "idiotas", que se acreditam melhores, gostam de aproveitar deles como "negrinhos".[10] Por seu lado, também a menina forceja para escapar à classificação, a ponto de a mãe achar até bom um machucado no joelho dela, para ela "não querer mais virar menino homem".[11]

O materialismo nas reações de Helena impressiona até hoje, pela vivacidade e surpresa do rumo. A sua feição não se entende bem sem o pano de fundo da civilização escravista. Nalguns momentos, nem sempre, a menina recusa a discriminação pela cor da pele: "Eu não diferenço, gosto de todos".[12] Mais que a injustiça feita aos pretos, entretanto, o que ela não aguenta são os bloqueios, as *limitações* que a escravidão recém-abolida impunha à própria

---

9. Veja-se a versão geral do esquema em Gilberto Freyre, que escreve o seguinte a propósito da monocultura: "O açúcar não só abafou as indústrias democráticas de pau-brasil e de peles, como esterilizou a terra, numa grande extensão em volta aos engenhos de cana, para os esforços de policultura e pecuária. E exigiu uma enorme massa de escravos. A criação de gado, com possibilidades de vida democrática, deslocou-se para os sertões. Na zona agrária desenvolveu-se, com a monocultura absorvente, uma sociedade semifeudal — uma minoria de brancos e brancarões dominando patriarcais, polígamos, do alto das casas-grandes de pedra e cal, não só os escravos criados aos magotes na senzala como os lavradores de partido, os agregados, moradores de casas de taipa e de palha, vassalos das casas-grandes em todo o rigor da expressão". Para o nosso caso as diferenças contam tanto como as semelhanças. "Prefácio à 1ª edição", *Casa-grande & senzala*, Rio de Janeiro, José Olympio, 1958, p. XXXIII.
10. Helena Morley, op. cit., pp. 66-7.
11. Op. cit., p. 88.
12. Op. cit., p. 36.

gente livre, em particular no capítulo do desmerecimento do trabalho e do esforço braçal. Veremos que esse ponto de vista da "inglesinha" pode expressar alguma coisa da decadência econômica de Minas na época. Está ligado também à metade inglesa e protestante da família, que acha inaceitável a desqualificação do trabalho, embora não a dos negros. E deve-se muito ao temperamento agitado da própria garota, que anseia por dispêndio físico e trabalho em comum quase como se fossem remédios.

Sejam quais forem os motivos, o fato é que Helena desenvolve uma aversão muito sua ao *enjoamento* — termo que designa a conformidade paralisante com as proibições sociais correntes. Seu inconformismo vai das irreverências engraçadas, às vezes bicudas, até os apetites desconcertantes, cujo desafio continua intato cem anos depois. Por exemplo, a impaciência com a vida *chocha* abre os olhos da menina para os fingimentos da devoção, mesmo de pessoas credoras do incenso geral. A mesma impaciência lhe anima o ímpeto de pôr a mão na massa, a simpatia pelo trabalho forte, pela faxina em regra. Também o trato humorístico e em pé de intimidade com as coisas *nojentas* participa da recusa de fronteiras intransponíveis, que tem outra variante na preferência pelo ambiente franco da cozinha e das festas dos negros.

Mas onde o seu ânimo *disposto* passa do outro lado é na *inveja* que os destituídos às vezes lhe despertam. É sempre possível que a menina esteja fazendo gênero e sustentando uma tese do contra, ou tratando de ser edificante e abnegada, ou bucólica. Mas não é a impressão que dá. Aliás, para afastar a hipótese da ostentação de virtude, note-se a sua inveja também enérgica dos confortos e pertences das primas ricas. Assim, afetação ou não, lá está o desejo de viver como a coleguinha paupérrima, num rancho sem nada, na boca do mato, fazendo lição no meio da paisagem, sentada num caixote.¹³ Ou a vontade de se juntar à fila das carregadoras de uvas, num serviço pesado e divertido, onde "a gente podia tomar um fartão".¹⁴ Ou a surpreendente declaração de que os escravos não causam pena, porque trabalhar o dia inteiro não é uma infelicidade; ficar à toa é que seria um castigo.¹⁵ Parece claro que a inveja aqui não se refere à pobreza, à posição inferior, nem muito menos ao trabalho forçado, mas à própria atividade e sociabilidade em curso no interior dessas condições pouco prezadas, algo como a sua substância efetiva. Muito a contracorrente, Helena não faz caso de enquadramentos "exteriores", ideológicos e de força, e se concentra na vida que mal ou bem lhes corre embaixo. Não deixa de ser uma abstração arbitrária — salvo se a própria História estiver operando uma dissociação análoga, como de fato estava: com a Abolição, a sociedade engendrada pelo escravismo colonial separava-se de seu arcabouço institucional de origem e passava a existir e a persistir sob um céu diverso, com consequências ainda difíceis de definir... Voltando a Helena, ao aderir à gravitação da atividade material, considerada na plenitude de seus conteúdos e despida da rotulação corrente, ela indica perspectivas imprevistas, nada convencionais, mormente num país tão desigual. Assim, bastou passar ao largo dos estigmas de classe, complementares da opressão, para que a choça e o trabalho do carregador — como tudo o mais — entrassem para um campo de apreciações e cálculos diferentes, propriamente *materialistas*. No caso da choça, mais que o desprezo pela miséria passam a contar, positivamente, a diminuição do trabalho doméstico e a proximidade com a natureza; no exemplo das carregadoras, o prazer de fazer força e cometer excessos em comum. Noutras palavras, apartada da dominação

13. Op. cit., p. 236.
14. Op. cit., p. 84.
15. Op. cit., p. 114.

que lhe deu origem e polarizou os valores, a diferenciação dos trabalhos e das situações aparece como a diversidade extensiva da experiência de uma sociedade, uma espécie de cooperação ampla e solta, que diz respeito às possibilidades de autorrealização de todos os membros, brecha pela qual a imaginação de Helena entrou com incrível energia. De pronto as segregações clássicas entre atividade braçal e intelectual, utilidade e beleza, trabalho e diversão, limpeza e sujeira etc. se fluidificam, passíveis de arranjos novos, em que se demora a fantasia de Helena, explorando sem alarde as virtualidades vertiginosas e desalienadoras da avaliação materialista. Sem desconhecer a petulância e o afã de originalidade da menina, vale pensar que o viço que até hoje emana de suas observações seja indício de interesses que não estão extintos.

Voltando ao clima utópico do início, faltou mencionar o revezamento de tarefas cansativas, exercícios de destreza e puras brincadeiras. Como é fácil notar, essa mistura compõe uma noção de trabalho *sui generis*, distante da maldição bíblica. Trata-se de uma idealização pueril? De uma realidade em que os olhos desabusados não creem, mas que faz sorrir? A ironia atinge o seu ponto alto no final, quando Helena, muito economista, lamenta que por causa da escola a família não saia ao campo todos os dias, pois os esforços do pai na lavra não estão dando "nem um diamantinho olho de mosquito", menos que a venda da lenha e dos passarinhos com que a garotada volta para a cidade. "Que economia seria para mamãe [...] ela não precisava trabalhar tanto."[16] A coleta divertida do que a natureza oferece de bom grado rende mais que as escavações laboriosas do chefe da família. Acresce que a própria mineração, paterna e dos outros, não é levada muito a sério pela menina esclarecida, que lhe nota o irremediável irrealismo e a parte da superstição.

16. Op. cit., p. 6.

"Hoje foi nosso bom dia da semana": o livro abre com estas palavras, que fazem supor *menos bons* os dias anteriores. A família *madruga* para a quinta-feira que será cheia e adorável. Passa por um *beco estreito* e sai na ponte, no melhor lugar de Diamantina. *Carrega* e *trabalha*, para depois almoçar e gozar. Os meninos *põem a isca* e pescam o lambari, *untam a vara* e pegam o curió, *catam a lenha* e a vendem ao voltar.[17] Há um movimento rijo, em dois tempos, de esforço e recompensa pronta: do inespecífico ao bom, do acanhado ao aberto, da obrigação à folga, do trabalho à fantasia, ou, no conjunto da cena, da manhã ativa à tarde de sonho. Como as sequências são breves, o prazer do segundo momento reverte sobre o primeiro, enchendo de alegria as atividades que conforme esse mesmo esquema seriam do domínio suado da necessidade. Assim, as classificações logo se confundem e fica duvidoso se levantar cedo, pegar no pesado, lavar roupa e botar a isca no anzol ou o visgo na vara são mesmo ocupações menos felizes que almoçar, tomar banho de rio, brincar no campo, pegar o lambari e o curió. A alacridade do episódio também decorre de suas várias ações simultâneas, que são como vozes. Uns lavam, outros carregam, outros catam, outros cozinham, outros pescam. Como são atividades singelas, que não pedem explicação, cabem uma em cada frase, cada qual com o seu sujeito, donde um clima de iniciativa espalhada e generalizada, do qual a própria natureza parece participar, os peixes mordendo as iscas, os passarinhos pousando no visgo, a lenha e as pedrinhas oferecendo-se no chão. Ainda assim, não estamos diante da algazarra pura, pois tudo se passa sob a coordenação camarada da mãe e dentro dos objetivos de um dia de trabalho, que não se perdem de vista. O resultado é algo como o andamento feliz e brioso de um divertimento musical. Para acentuar a nota da inversão edênica, observe-se ainda que o obje-

---

17. Op. cit., p. 5.

tivo da excursão foi lavar a roupa, e que os passarinhos e a lenha, que adiante dão algum dinheiro, vieram por assim dizer de quebra, como que indicando que o supérfluo é o que permite viver.

Contudo, a verdadeira beleza da cena, que transfigura tudo o mais, chega no parágrafo final. Assim como a compensação vem depois do esforço, ou a tarde depois da manhã, ou a volta à casa depois da ida ao campo, aqui a recapitulação conclui o dia, transformando-o num movimento interior, à maneira de uma *reprise* em que se medita o destino. Se não fosse a obrigação de ir à escola, pensa Helena, irmãs e irmãos podiam sair à ponte todos os dias e ganhar o dinheiro de que a mãe precisa. Ou podiam ficar todos juntos na lavra com o pai, de modo que a mãe pudesse trabalhar menos — "eu tenho tanta pena dela". Mas então, para a mãe, a folia da manhã terá sido um sofrimento? A alegria perfeita do dia agora é repassada em clave melancólica, de sacrifício, onde mesmo o idílio mostra a sua parte de renúncia. É claro que a pena que a mãe desperta pode estar servindo por sua vez de cobertura ao desejo maroto de não ir à escola, mas este não deixa também de ser, em versão indireta, outra figura do sacrifício. Triste ou não, o prêmio dos prêmios e o momento de liberdade humana estão nesses compassos de retomada imaginária. Uma vez notadas, a ironia, a sutileza e a beleza do movimento são incríveis, a despeito e por causa da simplicidade dos termos.

As primeiras quatro entradas do diário podem ser tomadas como formando um bloco. Vimos a quinta-feira dos Morley, em que a tônica na frugalidade e no trabalho em comum dissolve as distinções sociais. Em seguida veremos a mesma família em casa, no seu papel de gente respeitada e apadrinhadora, isto é, *distinta*, a que os pobres tomam a bênção. Na terceira cena as posições se invertem e serão os Morley que estarão de visita meio de cortesia e meio interesseira na chácara de vizinhos abastados, que os costumam obsequiar. A quarta entrada por fim inclui todos esses temas e põe o acento na relação já mais crua com a propriedade privada e o pagamento em dinheiro. Os contrastes são secos, estão à vista como um fato, além de intocados pela glosa, o *que os recomenda à contemplação reflexiva*.[18] Eis aí os Morley, sob quatro aspectos em contradição virtual. Ligados a estes surgem mais outros, igualmente sugestivos. Assim, por exemplo, os episódios se organizam em torno de diferentes modos precários de prover a subsistência, cada qual com as suas verdades próprias e diferenças com os demais: sair à cata do que a natureza dá de graça, confiar o destino a Deus e a seus prepostos na terra, receber obséquios de parentes e vizinhos, trabalhar para os outros por um salário, disputar a sorte grande na mineração. A maneira sólida naturalmente é ter propriedade e acrescentá-la por meio de negócios. Há ainda uma variação correlativa nas acepções da natureza. Esta pode ser madrasta, abundante, providencial, de todos, do dono, variação que engrena com as anteriores, ao modo de uma combinatória, com os conflitos correspondentes. Atravessada pelo acaso das anedotas, mas também pelo número limitado de relações sociais que as sustentam (parentesco, vizinhança, proteção, inimizade, nada-a--ver, salariato), essa multiplicação dos perfis e dos antagonismos logo se resolve em rotação, até certo ponto repetitiva, que dá a densidade da literatura ao movimento disciplinado e infinitamente interessante de uma ordem real.

Da primeira à segunda entrada, o cenário muda muito. Acompanhada da irmã, Benvinda vem participar o seu casamento a dona Carolina e seu Alexandre, os pais de Helena. Depois de dar voltas, a moça conta que o noivo tem um defeito, um defeito no

---

18. Noutro contexto, referindo-se à poesia peculiar das histórias pré-modernas, Walter Benjamin observa que a narrativa compacta, que evita o apoio das explicações, é a que mais fala à imaginação, pelo campo que lhe deixa. "Der Erzähler", in *Gesammelte Schriften*, II-2, Frankfurt/M., Suhrkamp, 1977, pp. 444-6.

pé, ou melhor, ele não tem perna. A resposta de dona Carolina faria a felicidade de Machado de Assis: "Coitado! Então ele não anda?". Em seguida a mãe de Helena pergunta se já sabem como vão viver. "Não pensei ainda não, mas viver a gente veve de qualquer jeito. Deus é que ajuda."[19] Sem prejuízo da bonomia, o riso não disfarça a ótica de classe, com foco nos percalços e imprevistos enormes — se é possível dizer assim — da vida popular. A comicidade se prende à desproporção nos cuidados da pobre noiva, que vai por partes e reluta em confessar a avaria, como se esta fosse uma infração ao decoro civilizado. As etapas da hesitação estão apanhadas com nitidez absoluta. Há ainda a inversão engraçada dos papéis, pois Benvinda, que em fim de contas é quem resolveu que a falta de perna não tinha tanta importância, faz mais drama a respeito que a família de Helena. Até aqui, então, uma comédia sem surpresa, ou melhor, conforme com a ordem social: de um lado a razão, a naturalidade, a previdência, os membros intactos, a posição bem-humorada e superior; de outro a pobreza, o vexame sem propósito, a mutilação, a falta de gramática e a vida ao deus-dará. É claro que a superioridade pode ser examinada a contrapelo, com menos simpatia. Voltando às palavras de dona Carolina, o seu "Coitado!" — o primeiro de uma série numerosa — ajuda a virar o quadro do avesso.[20] No plano explícito está a compaixão entre bondosa e cristã por tudo que sofre. Mas a expressão é também o que há de mais convencional, ao que deve aliás a insondável humanidade, tão machadiana, em que se equilibram a naturalidade e a indiferença de fundo em face do sofrimento, e no caso, da pobreza. A cor brasileira se firma ao acaso dos encontros periódicos com o desvalimento de tipo colonial, aquele sem garantia civil

---

19. Helena Morley, op. cit., p. 6.
20. Elizabeth Bishop conta que a primeira leitora de sua tradução protestou contra os "too many *coitados* [poor dears]". *One Art*, p. 313.

alguma. Aos poucos, atrás da mistura de familiaridade e distância, despontam o nada-que-fazer, a curiosidade, a culpa, o temor, o esquecimento etc. com que os brasileiros esclarecidos, mesmo hoje, encaramos o destino da massa pobre no país. Seja como for, o sorriso ilustrado domina o episódio até a penúltima linha, onde o "veve", embora simpático, destaca a ignorância de Benvinda. A mudança de registro surge no final, com o "Deus é que ajuda". Mesmo essas palavras poderiam fazer parte da cena de costumes, como caracterização da imprevidência. Entretanto elas dizem respeito à *dissociação do todo*: estão lá, sem comentários, expressando uma confiança que nada justifica, complementar da pena sem compromisso que sentem os civilizados.

Isso posto, a poesia do episódio se intensifica e complica se o relacionarmos com o anterior. Vimos que o ânimo ativo dos Morley faz encarar com ironia as presunções sociais. E com efeito, o riso contido que paira sobre a cena de Benvinda tem a ver com o sentimento de ridículo que os fingimentos cerimoniosos inspiram a Helena, a qual não acredita no papel de respeito desempenhado pelos pais, que aliás tampouco acreditam muito. Note-se que esse ceticismo torna mais patética a confiança da moça pobre, a quem a proteção divina afinal de contas só poderia chegar através da ajuda de protetores convencidos da própria obrigação. Também a prestança pau-para-toda-obra dos Morley, a sua imunidade aos enjoamentos, e para tudo dizer, a sua saúde, têm reflexos inesperados sobre a maneira de ver o defeito físico. Do ângulo da gente arrumada, a falta de perna é um traço entre outros, quase se diria pitoresco, da vida sem eira nem beira dos pobres. Não assim para Helena, que encara o defeito de igual para igual, com uma franqueza divertida e sem pena, a que não falta a ponta sádica. Por pouco ela não inveja a muleta do noivo, como aliás logo adiante invejará a cara inchada da irmã, a quem uma dor de dente autorizava a andar pela rua de lenço amarrado na cara. Assim, a superação do preconceito põe em claro a fragilidade de todos, contra o absurdo das presunções de casta, mas pode não criar solidariedade: sem dúvida, é um encadeamento que obriga a pensar.[21] Dito isso, o livro está repleto também de movimentos em sentido contrário, que adiante veremos, onde a empatia universal de Helena e a caridade cristã da mãe se traduzem em dedicação aos necessitados e inteligência das situações. Aliás, o discernimento moral superior conta entre as extravagâncias que a família Morley cultiva.

Voltemos contudo ao "Deus é que ajuda" em que termina o episódio. Por um lado, a expressão confirma o ponto de vista esclarecido a respeito da incúria calamitosa em que vivem os pobres. Por outro, traz à dança e coloca em xeque o próprio ponto de vista esclarecido, cuja alegre superioridade, embora comande o andamento da cena, fica sem préstimo em seguida, diante do desamparo e da irretorquível grandeza da resolução de Benvinda. É como se o humorismo tivesse que engolir em seco. Em terceiro lugar, e reatando com o episódio anterior, é certo que também os Morley, educados e vigorosos, vivem de qualquer jeito e necessitam de proteção, sem a qual não têm nada. Assim, o horizonte de precariedade irremediável que cerca a gente pobre não lhes é estranho, fixando um teto para a estima pela inteligência, pelo cálculo e pelas demais virtudes civilizadas, sem contudo as desmanchar. Esse sentimento do alcance limitado e da utilidade apenas relativa das Luzes, cultivadas mais como penhor de adiantamento pessoal e amor-próprio, talvez sem muita vantagem para enfrentar as circunstâncias, é das resultantes profundamente poéticas do livro, presas à peculiaridade escravista-
-clientelista da configuração brasileira.

---

21. A consideração do defeito físico segundo o prisma de classe foi estudada com acuidade terrível por Machado de Assis, nas *Memórias póstumas de Brás Cubas*. Cf. Roberto Schwarz, "Eugênia", in *Um mestre na periferia do capitalismo*, São Paulo, Duas Cidades, 1990.

Na cena seguinte[22] os Morley estão de visita na chácara de uma família da vizinhança, que os costuma obsequiar "com frutas, ovos, frangos e verduras". Os obséquios ligam-se a um movimento também muito brasileiro de extensão fantasiosa do compadrio, segundo conveniências as mais diversas. Luisinha (irmã de Helena) dizem que se parece com Quitinha, que viajou. Os tios desta última, donos da chácara e casal sem filhos, têm muito apego à sobrinha; para matar a saudade, gostam de olhar a menina tão parecida do vizinho e comentar as semelhanças, além de lhe encher a família de presentes. Os Morley não se fazem de rogados: "Nós íamos aproveitando a parecença e comendo as frutas". A comédia — aliás atrevida — está no desencontro dos motivos, bem resumido na dissonância entre "obsequiar" e "aproveitar", onde um termo pertence à esfera decorosa e dita superior do favorecimento pessoal, cheia de presunções de gratuidade, ou de suscetibilidades anticomerciais, por oposição à outra, dita inferior, ligada ao cálculo franco dos interesses. E há também a petulância esclarecida com que Helena toma o partido da ingratidão. Prolongando esse sentimento das coisas está a convicção, entre materialista e sarcástica, de que semelhanças são imaginações, ao passo que frutas e frangos são realidades. Nada mais vantajoso que conceder a semelhança, que não custa nada, em troca de comestíveis, que têm preço. A ironia sobe de ponto e vira paradoxo se lembrarmos com Helena o papel que desempenham as mesmas fantasias — similitudes, palpites, indícios, o mundo afeiçoado à imagem do desejo pessoal — na procura de ouro e diamantes, em que entretanto descansam as fortunas da região, bem como a pobreza dos Morley, que na hora H acreditaram num recado infeliz de santo Antônio, perdendo o negócio de suas vidas. Assim, as quimeras não existem, mas têm consequências materiais. Inversamente, os bens materiais e prosai-

---

22. Helena Morley, op. cit., pp. 6-8.

cos se desvinculam só em parte dos caprichos e do sentimento-de-si do dono, ou seja, o frango e a fruta não se trocam segundo a regra impessoal da economia. Nessas circunstâncias interesseiro-senhoriais, o que seria uma conduta inteligente?

O episódio encontra o seu desenlace num acesso de riso "que entornou o caldo todo" e depois do qual, infelizmente ou nem tanto, não haverá mais obséquios. Quando a ocasião de comparar as meninas e lhes apreciar as semelhanças afinal se apresenta, a ala feminina dos Morley começa a rir de modo incontrolável e inconveniente — "Olha só, Zinha, a menina que se parece com você" — até que a tia de Quitinha feche a cara e leve a sobrinha para dentro. À primeira vista as atingidas pela troça em que a visita termina são as próprias meninas. Na economia latente do episódio, contudo, a risada tem outra função: ela desativa e revela um mal-estar clássico da civilização brasileira, a arapuca moral que a troca de rapapés familistas por bens materiais vinha armando. Com efeito, não estaria errado tirar proveito, mesmo que só por farra, da saudade de um casal de vizinhos bons? Por outro lado, conceder que a sobrinha sardenta deles se pareça com Luisinha não seria muita colher de chá? A risada devolve os Morley ao equilíbrio, não porque tenha resposta para essas questões difíceis, em que dinheiro e respeito tradicional se complicam reciprocamente, mas porque as reconhece como insolúveis e salta fora delas, ainda com prejuízo. Noutras palavras, houve inversão de corrente. Depois de um primeiro tempo, em que a liberdade toma feição esclarecida (frutas bem valem rapapés, que não são nada), vem a crítica da crítica: a mesma liberdade reage à parte de cerceamento de si que há no cinismo (não é verdade que a hipocrisia não rebaixe nem tenha custo, ou que as obrigações familiares não tenham razão de ser). Abrindo um parêntese, o leitor interessado no nervo social da forma artística estará reconhecendo ao vivo o conflito que organiza os romances da primeira fase de Machado de Assis, onde também as aflições morais das personagens derivam da imbricação entre razão individual e familismo paternalista.[23] Acho inegável que a questão figura com mais beleza, ou seja, com mais variedade, profundidade e humor, aqui no livro de Helena. Os "frouxos de riso" estão entre as peculiaridades simpáticas da família Morley, que mal ou bem se conforma e *veve* com eles, como Benvinda com o noivo sem perna. O *defeito* nos dois casos tem um custo para os interessados, mas não os impede de seguir adiante. É claro que o desamparo de Benvinda, ao entregar a sobrevivência a Deus, já que não sabe como o marido aleijado possa trabalhar, é mais radical, determinado pelo desvalimento da moça. Enquanto os Morley, ao não resistirem à vontade de rir, abrem mão no máximo dos frangos e frutas da vizinha, e não das demais proteções de que gozam como parentes pobres (e apreciados) de uma família influente. Mas seja como for, o paralelismo estrutural existe, e sua refração na diferença das situações de classe, devido mesmo à desproporção, ensina a ver os desdobramentos internos de um sistema de desigualdades. Ao rirem de quem os obsequiava, os Morley fazem que reapareça, agora sob forma atraente, o fatalismo por assim dizer exemplar, drástico ou obtuso, com que Benvinda sai ao relento. Acresce que a confiança em Deus — o protetor que dispensaria todos os demais — faculta à moça paupérrima a integridade sem cálculo utilitário que, em variantes numerosas, será uma das referências e invejas duradouras de Helena, a quem periodicamente a contabilidade social dos bens e das proteções humilha. Mudando o ângulo, observe-se ainda o reflexo da cena do princípio, à beira-rio, na qual a vida grátis e feliz era devida à abundância da natureza. Na chácara da tia de Quitinha,

---

23. Cf. Roberto Schwarz, "O paternalismo e a sua racionalização nos primeiros romances de Machado de Assis", in *Ao vencedor as batatas*, São Paulo, Duas Cidades, 1977.

onde é só ir pegando as frutas e comendo, ocorre algo parecido, com a diferença de que existe o dono. A razão da fartura também aqui é natural e sem contrapartida, ou quase: a semelhança casual entre duas meninas franqueia um pomar carregado aos vizinhos meio famélicos. Digamos que a parecença é um presente do céu, que dispensa agradecimentos, como no outro momento a profusão de lambaris. Ocorre que, para se configurar, ela tem um certo custo em consentimento, quer dizer, em reconhecimento social, que pode ser regateado e reintroduz o toma-lá-dá-cá. Nesse sentido a comparação das meninas dá curso às implicações contábeis da propriedade e da vizinhança, que logo transformam a sorte grande em problema, cujo comentário será uma risada memorável mas inconclusiva.

Assim, nos passos que expusemos, situações divertidas e pitorescas da vida exterior a certa altura repercutem interiormente, abrindo campo para perguntas a respeito. Aliás está aí um dos milagres do livro, que não se afasta do dia a dia da província e entretanto não resvala para o anódino. O movimento vai se repetir no episódio seguinte, agora acionado por um diamante que as crianças acham no desbarranque. A pedra suscita uma série de crispações morais. O quadro geral das relações não muda, mas a tônica é outra: as liberalidades da natureza, com a sua feição de jogo de azar, a ignorância e a simpatia enigmática dos muito pobres, que precisam da proteção dos esclarecidos, os quais entretanto têm interesses próprios — tudo isso reaparece a uma luz diferente, mais áspera.[24]

No fim da tarde, depois de despachados os trabalhadores, é a vez de a meninada brincar descalça no barro da lavra. Arinda, que naquele dia estava com o grupo, se abaixa de repente e com um grito "apanhou um diamante bem grande". O bando corre para o

---

24. Helena Morley, op. cit., pp. 8-9.

rancho do tio de Helena, que é o dono do serviço. Este examina a pedra, uma "beleza", e dá cinco notas de cem mil-réis à menina. O bando corre novamente, agora para o ranchinho miserável dos pais dela, que ficam "doidos de alegria". "O pai dela dobrava as notas, metia no bolso, tornava a tirar, olhava, tornava a guardar." Outra beleza? A felicidade é tanta que Helena fica até com pena e concede que "foi melhor Arinda ter achado o diamante". A poesia das correrias sucessivas do bando, ainda unido pelo brinquedo, e já ameaçado pelos despeitos da propriedade, é notável. Uvas verdes à parte, Helena se conforma com a sorte grande da outra, em cuja penúria vê uma justificativa para a maldade da sina. Mais escondida, há a convicção dos educados segundo a qual os muito pobres não precisam do dinheiro, que não sabem usar. Note-se ainda o teor paradoxal da "pena", que no caso tem a ver com o tamanho da alegria trazida pelas notas de cem mil-réis, mais que com a pobreza da família, a qual "não tem senão um couro para todos dormirem, coitados". Ou por outra, trata-se menos de caridade que de desprezo pelo desejo indisfarçado de melhorar a sorte, visto como mais humilhante que a própria necessidade. Um desprezo senhorial de parenta pobre? ou um desprezo esclarecido, de quem acha que dinheiro e coisas com preço não mudam um pobre-diabo? O mesmo desejo de melhorar aliás é fortíssimo em Helena, que por isso mesmo antipatiza com ele na agitação indiscreta do pai de Arinda. Este último logo avisa que irá usar o dinheiro num serviço "que ele sabe que vai dar diamante". Ao voltar para casa, Helena conta ao pai os planos ou sonhos do outro, e ouve o seguinte comentário: "Que idiota! Eu sei onde ele vai enterrar o dinheiro; é naquela grupiara do Bom Sucesso que nós já lavramos". Agora Helena sente pena da falta de pena do pai, habitualmente boníssimo, e da ignorância do pai de Arinda, que vai lavrar no lavrado e perder tudo. Enfim, o pensamento secreto anterior nesse caso só podia mesmo voltar: não seria melhor ("mais metódico e racional", completaria Machado de Assis) que Helena e não Arinda tivesse apanhado a pedra?[25] Separada do resto, com um parágrafo reservado só para ela, deixando-lhe expostos os muitos lados, a lacônica frase final: "Arinda não ganhou nem cem réis e não se importou". Está claro que a sorte não adianta aos pobres, que a desperdiçam e não lutam por ela, sem prejuízo de parecerem lamentáveis quando tentam. Dito isso, eles são incompreensíveis, além de admiráveis e santos, em especial se considerarmos a sequência de revelações morais, o aprendizado de maldades burguesas ligadas à propriedade por que Helena acaba de passar.

À frente do episódio, como introdução, está uma breve reflexão humorística. "Quando eu tenho inveja da sorte dos outros, mamãe e vovó dizem: 'Deus sabe a quem dá sorte'. Na Boa Vista agora é que eu acabei de crer. Já disse a vovó que ela quase nunca erra quando fala as coisas." A cena é tão caseira que as suas ironias podem passar despercebidas. É preciso esfregar os olhos e reler. À primeira vista, quando dizem que Deus sabe a quem dá sorte, a mãe e a avó estão ensinando à criança um pouco infeliz a resignação diante da Providência. Mas podem também estar troçando da garota, que é uma peste. Nesse caso Deus troca de papel e entra como um aliado de contrabando na guerrilha familiar. O comentário de Helena acentua o duelo de ironias: na Boa Vista, onde Deus deu o diamante a Arinda, ela acabou de crer em Sua sabedoria — tratava-se de fato de uma família mais precisada. Mas será sábio dar dinheiro a alguém que não sabe usá-lo e nem se incomoda? Sendo assim, por que não dar também a Helena? E se a sabedoria de Deus se resumir numa implicância com esta, comprovadamente caipora? Nesse caso Deus seria mau, e a menina, quando *acabou* de crer, está dizendo que completou o aprendizado da descrença. O sarcasmo volta-se também contra a avó, que "nunca

---

25. *O alienista*, in Obra completa, Rio de Janeiro, Aguilar, 1959, vol. II, p. 260.

erra" e quer ensinar paciência à neta. O que esta sugere é que de fato precisa de paciência, mas é para suportar o *azar* que a persegue, no qual o leitor, à medida que avança o livro, não tem dificuldade em reconhecer o peso da pobreza e das obrigações familiares, mais que o desígnio divino. Em suma, Deus pode ser providencial, desajuizado, injusto, pode servir aos mais velhos para azucrinar os mais novos, e pode não existir.

Com risco de errar, digamos que Helena está se exercitando numa forma de prosa estabelecida e bem decantada. Penso nas ruminações do egoísta diante da sorte madrasta, que formam um gênero mineiro de humorismo, desassombradamente analítico e tocado a despique, possivelmente ligado aos altos e baixos da mineração, mas de estrutura tão universal quanto a propriedade privada. Esse padrão paraliterário, em que se estilizam a seco as dimensões esclarecidas e antissociais do individualismo, evolui no meio de anedotas de um mundo ainda colonial, cujas tramas são de outra ordem. Há um verdadeiro acontecimento cultural e estético na união entre a prosa clara, objetiva, de recorte raciocinante, orientada pelo interesse pessoal, e, do outro lado, a religiosidade tradicional, as imensas parentelas, as classes sociais excluídas da propriedade, a massa de bens que só ocasionalmente têm forma mercantil. Aquém da particularidade das situações, que naturalmente acrescentam muito, esse entrosamento por si só configura um complexo de perspectivas e dilemas originais, um material com teor histórico alto.

Repassando nosso percurso, umas poucas entradas de diário, que não podiam ser mais despretensiosas, bastaram para movimentar um sistema de variações e ressonâncias de volume surpreendente. A topografia social, a graduação no prestígio das coisas, as modalidades de trabalho, os tipos de apropriação, as explicações a respeito, tudo está em correspondência, numa relação que em geral é de confirmação recíproca. A sensação de funcionamento harmônico e natural radica aí. As revelações contudo se prendem aos momentos, também eles estruturais, em que a hierarquia corrente deixa de convencer e fica de ponta-cabeça. Paralela à desigualdade social, por exemplo, há a escala que vai das frutas silvestres e da lenha à fruta de pomar e ao diamante. As primeiras são de quem as apanha no campo; já as frutas de pomar têm proprietário, mas pouco circulam como mercadoria, pois fazem parte da economia doméstica e da política de obséquios na vizinhança; e só o diamante está no circuito estrito da propriedade que é dinheiro. No mesmo espírito, a coleta permite viver ao deus-dará; os obséquios, a meio caminho entre o favor e a forma mercantil, encaixam com os serviços e as obrigações pessoais; ao passo que a mineração galvaniza a propriedade, o comércio, a influência política, o contrato, o trabalho assalariado, em suma, o bloco da atividade econômica de peso, voltada para o mercado internacional, sem prejuízo da parte reservada à sorte, que inverte tudo e torna a procura do diamante e do ouro a mais irracional entre todas as atividades. Nessa linha, filiando-se a um lugar-comum esclarecido, Helena acha mais inteligente plantar do que trabalhar na lavra. Mas do que ela gosta deveras é da liberdade da coleta "campo afora",[26] que não requer qualificações sociais, na qual não passa pelo constrangimento intrínseco às relações de obséquio nem pela disciplina da propriedade, que a menina despreza e admira nos tios comerciantes. Assim, ao contrário do que parece, a vida que dá mais satisfação não se leva no topo, embora Helena se esforce muito para chegar lá. De outro ângulo ainda, é claro que os ricos se reconhecem mais no diamante do que na fruta silvestre, já que ele é precioso e perfeito. Se invertermos o espelhamento, contudo, as figuras que pelas mesmas razões se poderiam assemelhar ao diamante seriam ou-

---

26. Helena Morley, op. cit., p. 7.

tras, como Arinda e Benvinda, talvez ignaras, porém inocentes, sem a mácula justamente do cálculo burguês, de cujo custo humano Helena tem uma noção luminosa. Não são especulações arbitrárias, pois o reflexo da ordem social e de suas ambiguidades na sistematização da natureza sustenta a arquitetura oculta do livro, e nesse sentido as autoriza... Seja como for, as inversões na hierarquia estabelecida do bom e do ruim não faltam, e vão do inocente ao considerável: os lugares menos cotados podem ser os melhores, as festas dos negros são mais divertidas que as dos brancos, há mais dignidade nos desvalidos que nos arranjados, a religião, que é civilizada, pode não ser diferente da superstição, que é atrasada, e a imaginação é melhor do que as duas, com as quais se parece etc.

Observe-se que essas descobertas anti-ideológicas não resultam da simples inversão do ponto de vista convencional e não se podem reduzir a um artifício de retórica. Elas pressupõem a curiosidade ativa e desprevenida pelas zonas depreciadas da vida, e vão além, chegando à compreensão esclarecida, nada comum, das relações de implicação recíproca entre posições sociais. Alimentam-se também do gosto de desmontar as presunções dos parentes ricos, e da vaidade — emocionante — de exercitar uma inteligência de exceção, que desde cedo a família, e logo a cidade, reconheceram à menina. Temos o prazer, noutras palavras, de assistir a sucessivos quinaus juvenis no obscurantismo de clã e de classe. Em vez de se fechar para a circunstância dos pobres, Helena a entende como parte da sua, idêntica ou complementar, e muito de sua ambivalência e perspicácia deriva daí. Assim, a menina aplaude o acerto na resposta de um primo esfarrapado, bêbado incorrigível, a quem os parentes bem-postos oferecem proteção, desde que ele mantenha o decoro e a sobriedade: "Se eu tivesse força de vontade para não beber e uma roupa boa, não precisava da proteção de Seu Antonio Eulálio! Eu é que podia proteger você e ele e muita gente".[27] O argumento se aplica igualmente à família de Helena, mais divertida e menos organizada que a dos parentes comerciantes, e também ela necessitada de apoio. Noutro passo, um rapaz manda uma pobre mulher trabalhar em vez de pedir esmola. "Ela respondeu: 'Eu trabalhar? Eu sou tão pobre!' Todos rimos. Depois eu caí em mim e disse: 'Não. Ela respondeu bem. Alugar-se para cozinhar? Aqui ninguém aluga cozinheira. Buscar lenha? Aqui ninguém compra. Em que é que ela há de trabalhar? Coitada!' A mulher gostou da minha intervenção e disse: 'É isso mesmo, ela é que sabe.'"[28]

...

O leitor dirá se as nossas explicitações o convenceram da qualidade do livro. Isso posto, o que pensar dela? A beleza no caso só pertence ao escrito? Tem a ver também com a realidade? Como entender a abundância de ligações, tão diversas, finas e de mão dupla? Sobre o fundo brasileiro, balizado por trabalho escravo, mando patriarcal incontrastado e demais sequelas da colonização, a sua humanidade e graça propõem um enigma. Como foram possíveis, ou melhor, em que experiência se escolaram as inversões de perspectiva, a ida constante ao outro lado das coisas, a simpatia pelas posições desprezadas, o recuo em face das prestigiosas, e sobretudo o senso dos condicionamentos mútuos? O que significam as sintonias ocultas por toda parte? Não há dúvida de que a superação de unilateralidades é uma paixão de Helena, à qual voltaremos. Entretanto está claro também que nesse campo não basta querer. Num caderno de coisas vistas, a interconexão generalizada depende de matéria acontecida e propícia, que a confirme, sob

27. Op. cit., p. 205.
28. Op. cit., p. 264.

pena de ficar no voto pio. Supõe o contato normalizado entre os opostos, o conhecimento e interesse recíproco, sem o que ela não tem conteúdo. Vimos que essas relações de fato ocorrem no livro, onde às vezes parecem observadas, às vezes configuradas involuntariamente. Mas existiriam no país? Surpreso, o leitor de hoje concede que não sabia que o Brasil fosse tão civilizado, ao menos virtualmente. O mesmo enigma aliás figura no centro de vários momentos bons da cultura brasileira.

Noutras palavras, há passagem constante entre os diferentes polos sociais, as várias formas de trabalho, as modalidades de bens, os tipos de religiosidade etc., que aos poucos formam repertórios. O trânsito deve-se à inteligência inquieta de Helena, e também à rotina de seu mundo, sempre pitoresca pela acomodação familiar e instável entre esferas que em boa ordem não se misturariam. Como a menina, os irmãozinhos ora fazem trabalho de negro, ora são primos pobres, explorados para o serviço doméstico dos parentes abastados, ora são membros de uma família importante. A alternância de papéis mais ou menos incompatíveis, situados em pontos distantes do espectro, é vivida na pele, de sorte que o sistema das diferenças sociais se transforma numa realidade interior de surpreendente objetividade e teor de ironia. Com as ressalvas devidas, algo semelhante vale para os frangos, que podem ir para a panela na forma de criação da casa, obséquio do vizinho, furto ocasional ou mercadoria comprada. Ao mesmo tempo que são cotidianas, essas variações funcionais têm pertinência histórico-estrutural forte, que imprime à prosa um ritmo substantivo, além de delinear o complexo das questões correspondentes e determinar uma atmosfera humorística peculiar. Ou seja, entre a escrita, o andamento contraditório das coisas, o quadro social e a sua elaboração interior pelos diamantinenses há uma relação de vivacidade notável, que em literatura de imaginação seria o grande prêmio ele próprio.

O que pensar dela num livro de registro do dia a dia num atrasado fim de mundo?

Digamos que a escrita de Helena é impulsionada por uma força de ligação cujo adversário são as segregações e formas de estupidez peculiares à sociedade brasileira de matriz colonial. O momento e o lugar de origem das anotações possivelmente esclareçam alguma coisa a esse respeito. A escravidão acabava de ser abolida e o trabalho livre não estava ainda enquadrado nas alienações da forma salarial. Ou por outra, ao mesmo tempo que a brutalidade escravista começava a ser desautorizada, os rebaixamentos específicos ao trabalho abstrato permaneciam remotos, criando um interregno, promissor ou desregrado conforme as circunstâncias. A noção sociável e humana do esforço em comum, alimentada por Helena, com ressonâncias hoje utópicas, talvez se prenda a essas indefinições. Comentando a diversidade das relações de trabalho no Rio de Janeiro posterior ao fim do tráfico de escravos (1850), quando a fase de transição se instalou, Luiz Felipe de Alencastro diz que a cidade era um dos grandes laboratórios sociais do mundo, o que dá ideia da relevância do que se passava.[29] Em espírito semelhante, Antonio Candido analisa o andamento forte de um romance de Aluísio Azevedo, *O cortiço* (1890), mostrando a sua afinidade com os novos ritmos de enriquecimento, apoiados no leque recém-ampliado de maneiras primitivas de explorar e espoliar o próximo.[30]

Com as diferenças do caso — aquelas entre os grandes centros e um certo interior — esse mesmo sopro de inovação anima os cadernos da menina, onde entretanto as mudanças vão noutra

---

29. "Machado de Assis: um debate", in *Novos Estudos Cebrap*, nº 29, São Paulo, março de 1991, p. 60.
30. Antonio Candido, "De cortiço a cortiço", in *O discurso e a cidade*, São Paulo, Duas Cidades, 1993.

direção. No âmbito que eles registram, a ferida da escravidão parece em vias de cicatrizar: os ex-cativos seriam absorvidos pelas famílias dos proprietários, a cuja atividade doméstica e econômica se integravam. A gama das assimilações é variada, com margem para arranjos muito pessoais de parte a parte, que não deixam de ser formas de liberdade, possibilitadas pelo afrouxamento da dominação social. Assim, precisando de trabalhadores, o pai de Helena recorre a umas solteironas da vizinhança, "que têm em casa dois negros que ainda foram do cativeiro e que elas costumam alugar para fora e dividir com eles o dinheiro, porque não estando alugados elas é que os sustentam".[31] Noutro passo, uma inversão inesperada: o irmão de Helena, que não acha quem lhe compre os curiós e as vassouras, é contratado por dez mil-réis ao mês para dar aula aos filhos de um casal de negros muito limpos e bem-educados.[32] Há também os negros que se maltratam uns aos outros com truculência senhorial, imitada dos antigos donos.[33] Há o agregado que leva uns pescoções porque pensa que pode tratar sem deferência um parente do patrão, já que "sou livre e tão bom como ele".[34] Como algumas das tias, Helena e Luisinha gostam mesmo é de pajear negrinhos, a cujas mães ficam agradecidas.[35] Julia, uma ex-escrava que teve o azar de sair sorteada Rainha do Rosário, emprega na festa as economias com que ia comprar um rancho: ela é desajuizada? admirável?[36] O mesmo agregado que levou os pescoções livra-se da dor de dente — que enlouquece os brancos — aplicando um ferro em brasa na gengiva; também aqui

---

31. Helena Morley, op. cit., p. 30.
32. Op. cit., p. 268.
33. Op. cit., p. 32.
34. Op. cit., p. 78.
35. Op. cit., pp. 25-6, 54, 139.
36. Op. cit., pp. 37-8.

Helena não sabe se admira ou acha esquisito.[37] Mas ela admira francamente a senhora negra que no dia seguinte ao parto já retoma os trabalhos de sua casa, "para sentir-se leve", bem diferente das brancas, envolvidas em cuidados exagerados.[38] Assim, no universo do trabalho pesado, ou das civilizações africanas, formaram-se sabedorias e loucuras com força para prosperar. No conjunto, são exemplos de um processo pouco uniforme de redefinição das relações sociais anteriores, sempre envolvendo alguma superação das barreiras escravistas. Sem idealizá-lo, vale notar a sua abertura evolutiva e o esboço de organicidade.

É sabido contudo que nas áreas dinâmicas o rumo do Brasil seria outro. Passada a euforia humanitária da Abolição, o que se viu foram os ex-escravos abandonados à sua sorte e o trabalho forçado substituído pelo semiforçado, de preferência a cargo de imigrantes. A oligarquia renunciava aos direitos (e inconvenientes, para não dizer obrigações) de proprietária dos trabalhadores, mas não às prerrogativas da irresponsabilidade social, formadas em face da senzala e complementares de sua barbárie. Ligada à predominância do café, a emancipação não cumpria a promessa histórica de incorporar à sociedade contemporânea os negros e os pobres, nem se pode dizer que civilizasse essas relações, que mudavam mas não se aperfeiçoavam.[39] A nova barafunda urbana, além de moderna à sua maneira, era tudo menos integrada, renovando os termos da dissociação social antiga. Nesse quadro, como situar o mundo em que vive Helena, cuja humanidade salientamos? O país é e não é o mesmo. Repisando nossa pergunta, a que

---

37. Op. cit., p. 78.
38. Op. cit., p. 268.
39. Florestan Fernandes, *A integração do negro à sociedade de classes*, São Paulo, FFCLUSP, 1964, cap. I; Emilia Viotti da Costa, *The Brazilian Empire*, Chicago, The Dorsey Press, 1988, cap. 6.

atribuir então as divisões sociais abrandadas, com a sua dose de reversibilidade, o interesse mútuo muito vivo, a disposição questionadora, a inquietação moral em face da indiferença, que no contexto constituíam progressos em sentido forte? Tudo não passaria de um caso particular, ou ainda, de mais uma idealização familista das condições brasileiras? A propósito, o leitor da literatura infantil de Monteiro Lobato sentirá o parentesco entre a Diamantina de Helena e o Sítio do PicaPau Amarelo, o nosso lugar idílico entre todos. Com pouca diferença, aí estão as avós boníssimas, o mundo dos primos, o culto das travessuras, as meninas com resposta para tudo, a cozinheira negra que é uma santa, e sobretudo a informalidade, que é o remédio a que os males não resistem.

Combinada à Abolição, sem a qual o resto não seria possível, a outra causa de progresso terá sido a decadência econômica da região. O paradoxo é interessante, pois ensina a ver a estreiteza dos progressismos correntes, desprovidos de antena para a melhora da sociedade. O avanço social eventualmente propiciado pelo declínio da economia é uma configuração que faz pensar. As melhoras que brotam no espaço aberto pela desativação dos negócios dominantes — ligados à acumulação capitalista mundial — são a crítica viva destes e da ordem que consolidam. Ainda mais em ex-colônias, onde a rentabilidade de uns poucos produtos de exportação funciona como estabilizador de modalidades seculares de barbárie. Por outro lado, aquela mesma ordem de negócios está em vigor e comprova o seu primado noutras regiões do país, justamente as mais prósperas, sem falar no espaço internacional — o que não anula, mas relativiza a sua relativização, tornando mais labiríntico o problema. Por tangíveis que sejam, os avanços da atrasada Diamantina, que tornam tão dignos de nota os cadernos de Helena, podem não ter futuro.

O declínio de Minas, por causa do esgotamento do ouro e dos diamantes, é uma especialidade universitária própria, com polêmicas estabelecidas, em que um leigo não se arrisca.[40] Para os nossos propósitos sumários, contudo, basta notar que na bibliografia o seu movimento vem descrito ora como involução, ora como um crescimento peculiar. Num caso, a ênfase está na perda de ligação com o mercado mundial de metais e pedras, a que correspondem o empobrecimento e a regressão da sociedade, que fica quase sem contato com a civilização. No outro, o foco está no rearranjo e na expansão *sui generis* dessa mesma sociedade, agora mais voltada para dentro, para os mercados locais e regionais, crescendo com menos desigualdade e mais ligada às necessidades elementares da população. O que é retrocesso para uns é avanço e civilização para outros, e a opinião a respeito não pode ser igual nos diferentes setores da sociedade. Indiretamente, o conflito diz respeito às alternativas do país e à sociedade ideal.

Voltando ao livro de Helena, muito da poesia que procuramos captar se prende a essa constelação. Afrouxado o laço com o mercado mundial de diamantes, a queda da riqueza é imediata; ao mesmo tempo, a ordem engendrada pelas finalidades sumárias da

---

40. Amilcar Martins Filho e Roberto B. Martins, "Slavery in a Non-Export Economy: Nineteenth-Century Minas Gerais Revisited", *Hispanic American Historical Review*, vol. 63, nº 3, Duke University Press. No mesmo número, comentários críticos de Robert W. Slenes, Warren Dean, Stanley L. Engerman e Eugene Genovese. Para a resposta dos autores, ver hahr, vol. 64, nº 1. Ver ainda Roberto B. Martins, "Minas Gerais, século XIX: tráfico e apego à escravidão numa economia não exportadora", *Estudos Econômicos*, São Paulo, 13(1), jan.-abr. 1983; Robert W. Slenes, "Os múltiplos de porcos e diamantes: a economia escrava de Minas Gerais no século XIX", *Estudos Econômicos*, São Paulo, 18(3), set.-dez., 1988; Alcir Lenharo, "Rota menor. O movimento da economia mercantil de subsistência no Centro-Sul do Brasil 1808-1831", Anais do Museu Paulista, São Paulo, tomo XX-VIII, 1977-8. As posições de Caio Prado Jr. que dizem respeito ao problema foram repertoriadas e comentadas por Maria Odila L. S. Dias, "Impasses do inorgânico", in Maria Angela D'Incao (org.), *História e ideal*, São Paulo, Brasiliense, 1989. Devo as indicações bibliográficas, além de sugestões, a Luiz Felipe de Alencastro. Agradeço também os esclarecimentos de Fernando A. Novais.

exploração colonial passava a girar em falso. Preenchendo o vazio, surgia na esfera política a consciência nova e esclarecida das necessidades regionais, vale dizer, mutuamente referidas,[41] ao passo que na esfera da vida imediata o travejamento familiar da propriedade e do empreendimento econômico vinha ao primeiro plano, ensaiando uma superação propriamente paternalista do caráter antissocial da sociedade anterior. Atenuava-se a dissociação entre as classes, e a própria autoridade patriarcal, desligada do acicate do enriquecimento infinito, ficava menos distanciada. Um certo grau de desespecialização — ou de cooperação familiar — fazia com que a divisão social do trabalho pudesse funcionar também como enriquecimento da experiência individual, e não só como força de segregação e sujeição. No mesmo sentido, o mecanismo de vasos comunicantes que interliga a produção a sério (aquela voltada para os grandes mercados), o comércio vicinal, a economia de subsistência, as atividades de coleta e os trabalhos domésticos passava a favorecer o senso do relativo e as vistas abrangentes, de que Helena dá numerosas provas. Sugeria a autorregulação razoável do esforço comum, por meio da verificação daquelas esferas umas pelas outras, desabsolutizando o fetiche da riqueza e desbloqueando, para a imaginação e o pensamento, o pedaço de paraíso disponível. São mudanças com ganho humano evidente, que não é exagerado chamar desalienação e que só não cabem na noção de progresso por criticável deficiência desta última. Também o curioso processo de ruralização da cidade, a que se prende o bucolismo inteligente de Helena, pode ser visto nessa perspectiva. Enfim, estamos diante de uma variante estrutural da evolução do país, o qual aqui parece em vias de dar certo. Uma das razões do

---

41. José Moreira de Souza, *Cidade: momentos e processos. Serro e Diamantina na formação do Norte mineiro no século XIX*, São Paulo, ANPOCS/Marco Zero, 1993. Devo a indicação a Malu Oliveira.

encanto e interesse do livro — bem como de sua virtualidade apologética — será essa. Por outro lado, é fato que a plenitude que descrevemos não apaga a marca do atraso relativo, nem a correspondente consciência de provincianismo e de falta de contato com o progresso mundial, ou mesmo fluminense, sempre muito aguda. O apetite geral pela novidade e pelo dinheiro em falta é grande e deixa claro que o equilíbrio encontrado é um interregno meio devido ao acaso, que será rompido na primeira oportunidade. Ainda aqui os cadernos da menina nada têm de *kitsch*.

A situação de Helena, vista no conjunto das relações sociais que a compõem, pouco mostra de especial: prima pobre, neta preferida e adorada, filha irrequieta, irmã líder, estudante vadia etc. O aspecto invulgar fica noutro plano, por conta da resposta intelectual muito aberta e complexa da menina a essas mesmas relações, cujo teor de articulação interna sobe. Entre parênteses, note-se que a reapresentação do domínio comum em versão mais crítica e verdadeira atende a um alto ideal de literatura, que requer nada menos que a superioridade de vistas propriamente dita, verificada no terreno das formas e matérias *compartilhadas*, sem recurso à autoridade da *especialização* artística. A certa altura, a menina conta que escreve o diário a conselho do pai, para guardar as suas lembranças para o futuro.[42] A tônica dos cadernos entretanto não é essa, pois se trata sempre de identificar algo que vá além, esclareça alguma coisa ou ensine a evitar uma armadilha, que é quando a seus próprios olhos Helena dá provas de valor. O registro pelo registro, ou o passado pelo passado, não são com ela. Digamos que o cotidiano da família e da cidade passa pela vistoria de um espírito juvenilmente desejoso de notar e entender, que imprime aos episódios a tensão da racionalidade, bem acima da crônica provinciana.

42. Helena Morley, op. cit., p. 47.

Com efeito, os assuntos habituais das Luzes ocupam lugar de destaque: aí estão a superstição e a carolice, o padre italiano fanático, as fumaças de grandeza, os ridículos e os malfeitos da autoridade absoluta, o preço dos preconceitos e da ignorância, a mania do sacrifício, e também a falta de higiene, o desgoverno da cidade, o ensino inadequado às condições locais, a hipocrisia no colégio de freiras etc. A identificação do obscurantismo, em ambiente de província e partindo de uma criança em vias de descobrir dentro de si a faculdade crítica, naturalmente tem poesia. O melhor contudo vem numa linha menos ortodoxa. Prosseguindo na mesma inspiração, volta e meia Helena se ultrapassa e sai por completo do caminho batido, quando estende o movimento da crítica aos próprios resultados desta, preferindo o espírito à letra, ou melhor, reconhecendo a frequente parte de obscurantismo na superação do obscurantismo, ou ainda, a parte da repressão e da opressão de classe na conduta dos ilustrados. Essa virada estupenda, que desautomatiza a adesão ao progresso e aponta a brecha entre razão e avanços da civilização, está no centro da independência de espírito que dá beleza ao livro.

Talvez por ser criança, mulher e de uma família necessitada, além de guardar lealdade às suas diversões da rua, Helena briga com a noção adulta, masculina, abastada e branca de progresso. Como uma cientista social, a menina explica que os filhos de tio Conrado vão melhor que ela na escola porque família de comerciante tem vida mais regular e organizada que família de minerador. Entretanto ela não trocaria uma pela outra, porque tem noção também exata do custo em alegria representado pela vida sedentária e cheia de regras. "Não aguento o método e a ordem de tio Conrado com hora certa para tudo. Isto só dá certo para o estudo dos primos, mas para o mais é enjoadíssimo."[43] Aliás a simples

---

43. Op. cit., p. 51. Ver também pp. 30, 31, 44.

obrigação de ficar sentada, sendo embora indispensável aos estudos, é um sacrifício para quem gosta de bater pernas. Também as novidades da civilização a que o dinheiro dá acesso, tais como o sorvete, o telégrafo ou a maquininha de produzir energia elétrica, sem prejuízo de serem interessantes, servem à maldade dos parentes ricos, que as utilizam para embasbacar e humilhar os demais. Assim, a contrapartida em distanciamento social e opressão que acompanha as manifestações do progresso não escapa à crítica. É claro por outro lado que esta reage sobretudo contra as paralisias do atraso, como a crendice, a credulidade, a resignação e a apatia, estendendo-se por momentos à Igreja e à existência de Deus. A menina nem por isso perde o entusiasmo pelas festas religiosas, cujo encanto principal está em reunirem as classes, sem exclusivas, o que para ela é um benefício evidente. Veja-se o exemplo da precária procissão de Cinzas, que saiu à rua com santos desconjuntados, corpo de um e cabeça de outro, pois não havia na cidade figuras inteiras em número suficiente. "Eu gostei muito da procissão, mas meu pai achou que parecia mais um carnaval e mamãe achou que era um grande pecado meu pai dizer isso."[44] Com os seus três pontos de vista, mais o eco das muitas variantes que o livro não deixa faltar, a frase é um mundo. Como noutras passagens de feição análoga, dada por bonecas de pano feitas de qualquer jeito, encenações teatrais muito primitivas, um bonito penico de porcelana orgulhosamente usado como sopeira, maneiras finas de esconder sujos de galinha sobre a mesa etc., Helena acha uma graça particular nos expedientes da imaginação que é capaz de se bastar com meios materiais pobres ou impróprios e de ainda assim não perder a inteireza. Vai nisso uma pitada de reivindicação da província, que não tem por que sentir-se diminuída, e outra da vida popular, com a sua alegria superior.

44. Op. cit., p. 21.

Em suma, a disposição questionadora e raciocinante, certamente filiada às Luzes, no caso integra um quadro de alianças atípico, do qual os dependentes e os sem-propriedade não estão excluídos. A causa próxima terá sido a *precocidade* de Helena, que desenvolveu o sentido crítico e a capacidade de expressão num momento em que a criança ainda prefere a cozinha à sala, os empregados aos pais, os pobres e os trabalhadores à gente de bem, a mistura social e racial dos brinquedos de rua à propriedade e à distinção de classe etc. Não há nada único nessas preferências "infantis", salvo a capacidade, esta sim incomum, de expressá-las em veia polêmica e sem apequenamento, colocando em evidência a injustiça e o sacrifício impostos pela razão dos proprietários, que ocorria ser a ordem dos adultos. Entre parênteses, observe-se a diferença que faz, para o enraizamento sociológico e a orientação da inteligência, o momento biográfico de sua eclosão. Seja como for, no plano da prosa literária resultou uma figura particular da atitude esclarecida, sem alinhamentos automáticos de classe, oposta aos absolutismos senhoriais antigos, crítica também das separações sociais trazidas pela nova propriedade civilizada, e sobretudo simpática ao campo dos tutelados, cujos interesses reconhece e interpreta, em parte como próprios, sem por isso lhes ignorar os elementos de absurdo, que aliás entre os abastados tampouco faltam. Para avaliar o alcance dessa distribuição dos acentos, em que as Luzes não funcionam como preconceito de classe, digamos que ela não deixa que se forme o antagonismo entre Civilização e Barbárie, que na época imbecilizava os atos, o pensamento e a prosa de muitos de nossos compatriotas ilustres.

Até aqui recorremos a fatores relativizantes, propícios a algum grau de reciprocidade social, para dar conta da feição inesperadamente maleável de um ordenamento de classes rígido. Lembramos nesse sentido as indefinições causadas pela Abolição, os possíveis efeitos humanizadores da decadência econômica em

Minas, ou a precocidade literária de Helena, que deu voz à perspectiva antissegregacionista da infância. Contudo, a disposição de ver as coisas pelo outro lado, isto é, de considerar os pontos de vista socialmente complementares, não esgota o oposicionismo da menina. Por momentos este se alimenta também da *verificação interior*, que lhe dá força para ficar contra os demais em bloco. O episódio formativo a esse respeito é o enterro do avô paterno, um médico inglês, benemérito da cidade, que por ser protestante não pôde ser enterrado em chão santo.[45] "[...] até hoje se fala nisso em Diamantina. Quando ele estava muito mal, os padres, as irmãs de caridade e até o Senhor Bispo, que gostava muito dele, pelejaram para ele se batizar e confessar para poder ser enterrado no sagrado. Ele respondia: 'Toda terra que Deus fez é sagrada.'" A questão dividiu a família, como indica uma frase de Helena: "Meu pai, se eu ouço o senhor falar uma coisa, e as meninas, mamãe e todos outra, eu fico é doida". A certeza interior alcançada a duras penas é de que Deus há de ser justo e que um homem bom não pode estar no inferno, uma tese ilustrada — e estrangeira — que passa a opor Helena ao catolicismo da família, da cidade e da escola, onde a qualquer briga as colegas lhe diziam que o avô estaria "no céu dos ingleses". Por sua vez, apesar de menos dogmática, a divindade reformada tampouco era bondade pura, a julgar pelos conselhos ouvidos do pai: "Responda a elas, minha filha, que é para lá que você também vai, que é o céu dos brancos e não dos africanos". Aí está a outra face da firmeza dos princípios, que tanto ajudam a resistir à adversidade como a desclassificar os adversários. Isso posto, o livre exame das questões e sobretudo das instituições e tradições consagradas define a fisionomia intelectual de Helena, que deriva dele um evidente sentimento de superioridade e distância em relação ao meio, mas também a abertura de espírito que

---

45. Op. cit., pp. 76-8.

permite entendê-lo. Ainda aqui a surpresa vem no matiz, pois a menina considera que os inocentes, que não duvidam de nada, na verdade são mais felizes do que ela, e antes assim. A despeito do muxoxo, está clara a noção realista de que a individuação reflexiva, além de superioridade, representa um esforço custoso. A sutileza desses prós e contras é grande, em especial quando está em causa a comovedora figura da mãe, cujo temperamento impulsivo e dedicado, que Helena admira a fundo, não se separa da devoção irrestrita. Acresce que os meandros do autoexame facilmente desembocam na racionalização descarada, servindo a Helena para praticar pequenos roubos e outras desonestidades com aprovação da consciência. Assim, o enfrentamento íntimo de protestantismo e catolicismo tem resultados imprevistos. Um caso bonito de equilíbrio, que entretanto dá também o que pensar, pelas reservas mentais que implica, prende-se às festas religiosas, que enchem de alegria a menina, sem que lhe escape a parte da superstição, dos disparates e da finança dúbia das esmolas.[46] O movimento completa-se nos passos em que a isenção do pensamento e a alegria de contar fazem com que Helena esqueça a conveniência familiar e o interesse próprio, quando então a cronista não excetua os mais queridos, nem a si mesma, das conclusões negativas que valem

---

46. "Sem querer forçar um conflito que, a bem dizer, apenas se esboça, podemos atribuir parte desta grande versatilidade psicológica da protagonista aos ecos de uma formação britânica, protestante, liberal, ressoando num ambiente de corte ibérico e católico, mal saído do regime de trabalho escravo. Colorindo a apaixonada esfera de independência da juventude, reveste-se de acentuado sabor sociológico este caso da menina ruiva que, embora inteiramente identificada com o meio da gente morena que é o seu, o único que conhece e ama, não vacila em o criticar com precisão e finura notáveis, se essa lucidez não traduzisse a coexistência íntima de dois mundos culturais divergentes, que se contemplam e se julgam no interior de um eu tornado harmonioso pelo equilíbrio mesmo das suas contradições." Alexandre Eulalio, "Livro que nasceu clássico", p. XIII.

para os outros, alcançando uma espécie de probidade juvenil, de crítica sem acrimônia, que é um alto sentimento da vida.

O pai consciencioso e pachorrento, que não faz nada errado, naturalmente destoa da cidade. Mesma coisa para as tias inglesas, que ganham o próprio sustento, cultivam a disciplina pessoal em tudo e praticam uma economia estrita dos gastos, além de recomendarem leituras para fortificar o caráter. Ainda aqui Helena aprende com critério, sem perder de vista as circunstâncias. Depois de ouvir uma preleção sobre a gastança das alugadas e a maneira certa de se fazer servir à mesa, a menina observa que, não tendo criada para a servir e sendo ela mesma quem tira os pratos, os conselhos não cabem.[47] O próprio foro íntimo, embora proporcione o recuo para a discussão moral independente, serve sobretudo como espaço para Helena buscar-se a si mesma e entender a parte de política e enfrentamento necessária à afirmação do gosto e à satisfação das vontades, contra a mortificação católica. Trata-se talvez de uma adaptação do protestantismo, mudado numa *consciência* muito ativa mas pouco repressiva, mais voltada para as questões do apetite que da moral. Sempre guiado por um cacoete de implicância — ou um hábito da inteligência — o espírito da mocinha recusa o que ouve ou vê, para em seguida passar ao outro lado das coisas, ao aspecto inadvertido e relacional, quando não inconfessável, alargando o horizonte e fugindo à prisão dos interesses individuais e de classe. A vitória sobre a compartimentação social dá-se também interiormente, pela compreensão da natureza conflitiva, social em refração, da própria dificuldade de entender.

Embora seja assunto de comentário na família, a inteligência de Helena não fica clara para a menina, a quem o tema causa ansiedade. Depois de três dias de Escola Normal, a inquietação lhe dita a respeito uma passagem notável pelos altos e baixos da au-

---

47. Helena Morley, op. cit., p. 17.

toestima, que se alternam em ritmo abrupto. Com alguma explicitação, a paráfrase seria a seguinte. Os outros — a avó, o pai, a tia e Joaquininha, a professora do primário — acham Helena inteligente. Esta, com humildade ou angústia, e certo distanciamento humorístico, acha que podem estar iludidos, o que por outro lado coloca em dúvida o juízo dos adultos (a inferioridade se convertendo em superioridade no ato). O que entretanto ela sabe sim, de certeza sabida (superioridade), por oposição aos achismos dos outros e dela mesma (inferioridades), é que não gosta de ficar sentada estudando (inferioridade? superioridade? depende do ponto de vista). Em consequência será má aluna, mesmo se for inteligente. Ou conseguirá ser boa aluna sem estudar? Nos dois casos alguém estará sendo enganado. De todo modo ela prefere que a achem inteligente, ainda que não seja, a que a achem burra, "como vai acontecer na certa, quando todos virem que não vou ser, na Escola Normal, o que eles esperam".[48] Aqui a ansiedade toca o fundo. A reação contudo não demora, e logo a menina se gaba de sua facilidade para decorar (superioridade), com a qual, mesmo que não compreenda nada (inferioridade), saberá enganar a todo mundo (superioridade? inferioridade?). Mas que fazer no caso das matérias que não se possam decorar? Depois dos muitos passes de armas, a conclusão infantil e tocante: "Vou me deitar e pedir a Nossa Senhora que me ajude a estudar e abra mesmo a minha inteligência, para não desapontar meu pai, vovó e tia Madge".[49]

A sucessão de guinadas traz à tona, além da insegurança da garota, o caráter disputado e incerto dessa ordem de definições, sujeitas a uma espécie de cabo de guerra entre interesses diversos, que mal ou bem configuram o conflito social na matéria. Aí estão, cada qual criando perspectivas em causa própria, a opinião dos

---

48. Op. cit., p. 11.
49. Op. cit., p. 12.

adultos esclarecidos, a vaidade dos familiares e a nova autoridade da Escola Normal; a resistência da criança à disciplina e ao estudo, bem como o seu desejo aflito de corresponder ao que esperam dela; a distinção progressista entre a compreensão e a memorização, a possibilidade de fazer boa figura enganando os demais, o recurso em última instância a Nossa Senhora, e tudo sem falar no abismo entre os que cuidam e os que não cuidam do assunto. Isso posto, a despeito do terreno acidentado, a passagem não foge aos limites do convencional, pois o foco está mais no medo da menina ao fracasso que no questionamento da valia dos estudos ou do apoio que lhes dão os parentes e aderentes.

Já na entrada seguinte, graças a um paralelismo desnivelado, desses que fazem a densidade e a reverberação do livro, o caso se apresenta em versão menos decorosa, e aliás cifrada — mas cifrada por quem? A controvérsia aqui gira em torno de fubá e pepinos. De entrada, um protesto de Helena: "Há tanta coisa boa para se fazer com fubá: cuscuz, broas, sonhos, bolos, e ninguém quer sair do mingau de fubá".[50] "Ninguém" são os adultos, partidários da mesmice, por oposição ao apetite variado e novidadeiro da menina, que aqueles tratam de reprimir. Este último, na sua esfera, é uma forma de mobilidade e abertura do espírito. Será exagero aproximá-lo do desgosto pela imobilidade (a menina sentada, estudando) na entrada anterior, de que seria uma versão mais desimpedida? E o próprio elogio dos adultos à inteligência de Helena não teria algo a ver com a preferência fixa pelo mingau de fubá? Se for esse o caso, não haveria por que matar-se para estar à altura do elogio, e a inteligência verdadeira poderia independer dos estudos. Aliás Helena noutro passo observa que a avó é inteligente embora até há pouco não soubesse ler.[51] E nota também que, sendo muito

---

50. Op. cit., p. 12.
51. Op. cit., p. 86.

ignorante, seu Pitanga é "esperto e engraçado nas suas espertezas", e "águia" para a vida.[52] São conclusões pouco convencionais, que tomam o partido da substância contra a sua definição oficial e prestigiosa. Nada mais instrutivo que a diferença entre o nome e a coisa, esta apreciada em seu conteúdo e desenvolvimento social, como se vê a seguir, quando siá Ritinha — outra que é águia — passa uma noite contando casos de pessoas que adoeceram de comer pepino. "Dona Carolina, tome nota do que eu vou lhe dizer: pepino é tão venenoso, que só a gente passar a barra da saia no pepineiro faz mal." O propósito da intervenção, prontamente notado, é de adular a mãe de Helena e apoiá-la em sua luta para que a filha perca o gosto de comer pepinos com sal pela manhã e volte ao mingau de fubá. Está formada a liga adulta dos estraga-prazeres bem pensantes, em luta contra a fantasia e satisfação do próximo. Se Helena gosta de pepinos, por que a implicância com eles? Acontece que a vizinha é pobre e deve favores aos Morley, de cuja proteção precisa, de modo que o seu ensinamento sobre pepinos não só não é desinteressado, como é uma forma sem-vergonha de serviço prestado a dona Carolina, à custa da felicidade da parte menos defendida da família, com a vantagem, ainda, de reequilibrar por meio da pirraça as humilhações da vassalagem. Além do que, siá Rita tem a reputação de ser ladrona de galinhas, o que dona Carolina, na hora de lhe receber o apoio, não leva em conta, ao contrário da filha, que está entendendo tudo da politicagem clientelista em que no caso se alicerça a hegemonia de um cardápio trivial, e por extensão, a autoridade materna.

Como se vê, a singeleza não exclui a sutileza, e os episódios são cheios de ensinamento, em especial se atentarmos para o seu parentesco latente, que permite aprofundar as questões por anedota interposta. Assim, na defesa do gosto pelos pepinos matinais

---

52. Op. cit., p. 255.

ou pelos usos menos comuns do fubá, Helena descobre o lado obtuso e incurioso dos responsáveis pela ordem, que gostam de proibir, mesmo quando a proibição parece não ter sentido. Sem prejuízo da inocência relativa do episódio, ou por causa dela — que à sua maneira produz o efeito didático do estranhamento brechtiano — fica esmiuçado o substrato autoritário da aliança tão brasileira entre civilizados e agregados, repleta de dimensões impublicáveis, com a qual as aspirações à liberdade têm de se haver, ainda em se tratando apenas de pepinos. E se a aprovação que cerca a escola, os estudos e a inteligência não for diferente, na argamassa, da que impõe o mingau de fubá? A ironia das redefinições suscitadas pela prática, na verdade outras tantas autodefinições críticas da sociedade em mais real e tolerante, vai longe.

...

A certa altura fica claro que a família não pode mais com Helena. Esta decide por conta própria, em consulta com as amigas e contra os pais e tios, que não entra para o internato das freiras. É um bom exemplo do caráter ao mesmo tempo individualista, sociável e rebelde de sua inteligência. A extensão das desavenças não se adivinha facilmente, e o leitor desconfia que a independência mental da menina, com os seus efeitos práticos, não terá causado somente admiração. Digamos que ao longo do livro assistimos à transformação da criança observadora e crítica na mocinha espertíssima, a qual resolve tudo da própria cabeça, em que aposta as suas fichas para o bem e para o mal. O ambiente muito familiar oculta até certo ponto o insólito desta segunda personagem, que configurava uma novidade histórica. Um sinal do inusitado talvez seja a surpresa, por assim dizer, da própria Helena diante das sugestões nem sempre católicas de seu espírito. "Na imaginação eu sou sozinha na família", anota ela, para explicar um uso lucrativo que fizera do dinheiro da irmã.⁵³ Noutro passo, envergonhada "com o seu uniforme já tão desbotado e remendado no cotovelo", Helena reza a Nossa Senhora.⁵⁴ Esta em seguida lhe manda a ideia de roubar um broche da mãe, para comprar o uniforme novo com o dinheiro. "Às vezes eu mesma fico pasma de como me vem inteligência para certas coisas. Foi tudo Nossa Senhora. Ela viu que eu precisava ao mesmo tempo de um uniforme e de um vestido e me inspirou tudo direitinho. O vestido foi tirado todo da minha cabeça, sem ver um figurino. Como eu podia ter tido uma ideia tão boa!"⁵⁵ Em linha menos escandalosa, Helena toma distância da abnegação da mãe: "Mamãe é que tem pena de mim porque diz que eu não vou ser feliz com este gênio de querer aproveitar tudo; que a vida é de sofrimentos. Mas eu é que não serei tola de fazer de uma vida tão boa uma vida de sofrimentos".⁵⁶ Pouco antes, a propósito do jejum da sexta-feira da Paixão, com franqueza notável: "Eu sou infeliz nas horas de sacrifício. Não gosto de fazer sacrifício".⁵⁷ E ainda, já perto do fim, uma discussão: " — Minha filha, quem sabe você acha que o mundo vai acabar? É o que eu penso quando vejo você nessa ânsia de se divertir. Você está começando a vida, minha filha. Não vá com tanta sede ao pote. [...] Tudo que sai do natural escandaliza, minha filha. [...] Deixei mamãe falar até parar. Depois respondi: — Sabe por que a senhora ficou tão nervosa assim à toa, mamãe? É porque em vez de ficar lá vendo a gente brincar e dançar, veio se encafuar nesta casa antipática, trabalhando o dia inteiro, e não quer tirar da cabeça que a vida é de sofrimento. [...] Pense e responda".⁵⁸

53. Op. cit., p. 56.
54. Op. cit., p. 162.
55. Op. cit., p. 165.
56. Op. cit., p. 33.
57. Op. cit., p. 25.
58. Op. cit., p. 257.

Ao sabor dos episódios, a disposição refletida e enérgica de aproveitar a vida entra em conflito não só com o desprendimento cristão, a precedência das famílias, as limitações provincianas, a resignação dos pobres etc., mas também com a nova civilização utilitária e burguesa. Já vimos que o brilho do livro se prende à composição inesperada dessa frente de batalha, que algo tem a ver com a adolescência, e algo com a indefinição do momento histórico e de suas perspectivas. Isso posto, Helena está longe de ser uma heroína romântica, em oposição radical a seu mundo, e ninguém mais família, impregnada de religião, entendida em diferenças sociais ou consciente das vantagens da casa disciplinada do que ela. Nesse sentido não se trata de colisões em que uma nova razão de ser queira suprimir as outras, e seria mais próprio falar em conquista de espaço ou em acomodação esclarecida em família. Os ângulos imprevistos e as formulações agudas devem muito a essa intimidade com o campo oposto, plena de conhecimento de causa, alimentada também ela pelo desejo de não perder nada de bom e de não sacrificar inutilmente aos princípios. Acresce que para se rebelar contra os impedimentos de uma esfera, Helena invoca os valores de outra, que se tornarão impedimentos em seguida, e assim sucessivamente, até que se complete o círculo. De modo que ao cabo de um certo número de episódios conhecemos não só os significados de que se reveste a ordem social para a menina que não quer ser tola, como teremos presenciado o choque dos diversos pontos de vista relevantes da sociedade, que vão se especificando reciprocamente no processo. Sem favor, estamos diante da multilateralidade abundante e diferenciada que distingue o grande romance realista. Invertendo a perspectiva, o desfile das anedotas desmembra e expõe no conjunto de suas faces o apetite de Helena pelas coisas boas da vida, do libertário e genial ao conformista e antipático.

Sempre dentro do tom juvenil, o bom senso materialista e o

acerto das formulações aos poucos adquirem notoriedade, e até uma espécie de autoridade dentro da família. Tanto que em certo momento a avó afirma, sem que se entenda bem no que está pensando, que Helena saberá tirar os pais da dificuldade econômica em que vivem. O fato é que a menina dá orientações à mãe, observa que os Morley não passariam necessidade se a avó governasse melhor o seu dinheiro, explica que o colégio de freiras vai tirar a alegria de Luisinha, tem propostas para a reorganização do serviço doméstico, opina sobre a iluminação pública e o funcionamento dos correios, aponta a inutilidade de inculcar La Fontaine às normalistas no interior de Minas etc. A petulância existe, mas o tino administrativo e o realismo superior, aliás em sintonia com as aspirações de progresso da cidade, são evidentes. Quando a mãe critica a filha e lembra que antigamente era o recato que trazia fama às moças e atraía os pedidos de casamento, a resposta vem irretocável: "As senhoras eram caseiras porque moravam na Lomba [isto é, numa lavra, afastada da civilização]. E depois, a fama foi o caldeirão de diamantes que vovô encontrou. Moça caseira, a senhora não vê que não pode ter fama? Como? Se ninguém a vê?"[59] Aqui estamos longe da criança do início, que nas horas de baixa se achava "a mais horrorosa, a mais magrela, a mais burra de todas, [...] inferior em tudo",[60] à qual a avó dizia, para consolo, que era "a primeira menina de Diamantina".[61] Agora Helena descobriu que é bonita e especial, e se tornou de fato "a querida deles todos", o xodó da escola.[62] As colegas se queixam de que com ela tudo é diferente, enquanto os professores comentam e acham graça nos seus exames, seja por causa do desplante com que cola, seja pelo

59. Op. cit., p. 187.
60. Op. cit., p. 147.
61. Op. cit., p. 115.
62. Op. cit., p. 256.

topete das respostas, seja pela memória fora do comum, e naturalmente pelo conjunto da figura, que toma feição vitoriosa — em detrimento do veio desconforme que mandava encontrar o sentido e o gosto onde a ordem, ou seja, o dinheiro e as "famílias principais", não os punham. Noutro registro, há um episódio que mostra bem a sedução exercida pelos modos despachados de Helena, que chega em casa num dia de chuva "e da porta da rua foi sacudindo as pernas e atirando as botinas [arrebentadas e encharcadas] no corredor". O rapaz que por acaso presenciou a cena diz à irmã "que sabe que vai ficar solteirão, porque só se casará com uma moça que faça aquele gesto perto dele e sabe que não encontrará".[63] A quem ocorreria essa precisão da imagem erótica em ambiente pobre e supostamente ingênuo de cidade provinciana?

Além de bonita, a relação de Helena com a avó é complicada e põe à prova as duas partes. De um lado, a matriarca rica da família, adulada por todos; de outro, a criança pobre, invulgar e de gênio difícil, a quem a abastança das primas punha um nó na garganta. Inicialmente o foco está nos cuidados de dona Teodora, preocupada com a menina em cuja casa nem sempre há comida ou dinheiro para o necessário. Note-se de passagem a antipatia que existe no ambiente contra as preferências individuais nítidas, percebidas como capricho e injustiça, ou como entrave ao curso normal dos dias. Por sua vez, a neta defende essa parcialidade com meios de toda ordem, enfrentando a ciumeira de primos e tios. Os recursos vão da compreensão pessoal iluminada — aliás recíproca — às cenas de choro e às manobras bem conduzidas. O fundo econômico da disputa, em que está em jogo a fortuna da matriarca, não é segredo para ninguém. Trata-se de impedir que esta faça diferença entre os herdeiros, dos quais alguns são ricos e outros pobres. A vigilância meticulosa está na ordem natural das coisas, a

---

63. Op. cit., p. 159.

ponto de a avó dizer: "'Carolina, minha filha, eu estou muito precisada de morrer para melhorar sua vida.' Falava assim por não lhe poder dar dinheiro em vida, porque tio Geraldo, que tomava conta da fortuna dela, não deixava".[64] Em matéria de humanidade, ou seja, de compreensão, aceitação e superação conjuntas da ordem social, é difícil chegar mais alto. O comentário, que a vida não deixou faltar, vem na briga que a mesma morte da avó causa entre os filhos. Voltando às manobras da neta, veja-se a passagem em que esta administra a dor de barriga e a repugnância pelo óleo purgativo, além da aflição de dona Teodora, de modo que ganha um vestido em troca. "Esta é águia", concluem as tias, virando as costas.[65] Mas nem aqui, onde seria de esperar algum sentimentalismo, os apontamentos de Helena cedem à idealização. A ligação estreita e assídua com a avó, tão prezada, lhe pesa como um verdadeiro sacrifício, a que gostaria de escapar, conforme anota com todas as letras. A menina aliás tem noção da parcialidade escandalosa de que é objeto — segundo as colegas, "sua avó parece mais um namorado seu"[66] — a ponto de escondê-la um pouco. Perto do final, quando a preferência está consolidada, Helena diplomaticamente trata de não ir à chácara com as primas, de modo a evitar as ocasiões de inveja e queixa. Assim, a inclinação individual ora coincide com o cálculo interesseiro, em detrimento das lealdades devidas, ora é o contrário, ora fica sozinha. Algo análogo vale para os outros termos. Cada aliança e cada antagonismo têm seu preço e compõem um problema substantivo, que será alegre ou espinhoso conforme se supere ou não com facilidade.

O leitor de *Dom Casmurro* terá notado — espero — as grandes linhas da situação de Capitu. Aí está a menina pobre e inteli-

---

64. Op. cit., p. 271.
65. Op. cit., pp. 64-5.
66. Op. cit., p. 209.

gente, com ideias adiantadas, manobrando para se fazer preferir pela matriarca do clã, em meio à rivalidade de parentes e dependentes, alguns sem nada de seu, num ambiente dividido entre as marcas da escravidão, o decoro católico e as aspirações ao progresso. Há semelhança nas coordenadas sociais de fundo, no conteúdo prático e moral dos constrangimentos, em que o individualismo em formação paga tributo à ordem antiga, na fisionomia intelectual muito brilhante das mocinhas, e por momentos até no tom. Por exemplo, a "raiva e antipatia" causadas pela prima que "revira os olhos para Nossa Senhora", "fingindo de santa para agradar vovó",[67] não está longe das "palavras furiosas", do " — Beata! carola! papa-missas!" que a futura sogra inspira à namorada de Bentinho.[68] Os paralelos sugestivos se podem multiplicar à vontade e haveria coisas engraçadas a estudar na subserviência altiva e implicante que siá Ritinha compartilha com o agregado José Dias. No plano dos conjuntos literários, há ainda o efeito da *variação numerosa*, causado pelas muitas anedotas com elementos repetidos. Marcadas pelo costumbrismo romântico, estas ensejam a visão simples ao mesmo tempo multidimensional — um acerto imbatível — das relações de parentesco e apadrinhamento, do trato com pobreza, dinheiro e trabalho, da circulação paralela de comensais e mexericos, da rotina dos serviços domésticos, das picuinhas ligadas à hierarquia social, da atmosfera católica frouxa e opressiva, dos festejos religiosos da cidade etc. Dito isso, qual o propósito da aproximação entre os apontamentos soltos da garota de Diamantina e o romance possivelmente mais refinado e *composto* da literatura brasileira? Ou, ainda, entre uma escrita "sem intenção de arte" e outra em que o cálculo artístico e a aposta na

---

67. Op. cit., p. 24.
68. Machado de Assis, *Dom Casmurro*, Rio de Janeiro, Instituto Nacional do Livro, 1969, p. 90.

eficácia da forma alcançaram altura excepcional? É claro que não se trata de nivelar trabalhos diferentes, ou seja, de transformar *Minha vida de menina* num romance, nem de ver em *Dom Casmurro* uma coletânea de cenas de época. Feita a ressalva, o universo comum, que existe, permite refletir sem disparate sobre a relação entre as duas ordens de prosa, relação mais complexa e interessante do que pensa a crítica. Digamos que os dois livros expõem em chaves diversas, mas comparáveis, o conjunto peculiar de posições e relacionamentos que se poderiam chamar de matéria brasileira, cujos desdobramentos até hoje não deixaram de nos dizer respeito.

Assim, depois de insistir na diferença, comecemos por relativizá-la. Páginas atrás, sugerimos que os romances da primeira fase machadiana não se comparam ao livro de Helena Morley *em qualidade literária*. A substância problemática da matriz social em comum vive com mais variedade e espírito nas redações da normalista. Noutras palavras, a qualidade literária pode existir — para nós, cem anos depois — onde não constava do programa, e pode faltar onde foi perseguida com estudo e afinco. Não estamos imaginando, por outro lado, que a menina não cultivasse o engenho narrativo, o senso de humor, a expressão certeira, além do conhecimento dos interesses em confronto. Essas decantações formais — inegáveis — entretanto se processavam em esferas que não são de arte, tais como a conversa alegre, a redação escolar ou o diário para leitura em família, perto do ditado da experiência cotidiana e longe (mas não inteiramente fora) do sistema literário constituído e de suas pautas. Um exemplo, em suma, de aperfeiçoamento estético desvinculado da especialização artística. Algo muito diferente do que ocorria com o Machado de Assis dos primeiros romances, que de caso pensado *rompia* com as ilusões romântico-liberais da moda e com os modelos narrativos europeus que lhes correspondiam. Por oposição a esses moldes ilustres, percebidos como inadequados ao país, e com a clara noção de que dava um passo para colocar em eixos mais reais a ficção brasileira, o escritor ensaiava intrigas não canônicas, movimentadas pelos dilemas práticos e morais, historicamente específicos, do indivíduo moderno enredado em relações de clientela e até de sujeição pessoal direta. A mudança, que se ligava com admirável consequência à reflexão literária e social, e que adiante daria frutos decisivos, por ora chegava esforçadamente, e sem muita felicidade romanesca, à mistura de assuntos que era o ponto de partida espontâneo de Helena Morley. São paradoxos normais em história da arte, que no caso dizem que o trabalho sobre a forma se desenvolve tanto no campo literário como fora dele, em sentido convergente ou divergente, que interessa estudar, a mesma coisa valendo para o aprofundamento de temas e contradições. E uma vez que estamos falando de dialética entre literatura e sociedade, anotemos que, ao contrário do que pretende a mitologia crítica de nosso tempo, tudo depende da constelação: a proximidade com o cotidiano pode ter efeito conformista, mas pode também ter efeito crítico, assim como as rupturas podem abrir perspectivas, ou também criar conformismos de nova ordem. Este último foi o caso das modificações trazidas pelos primeiros romances machadianos, cuja oportunidade sociológica e nacional — uma conquista das mais consideráveis — se fez acompanhar de uma nota edificante que hoje os exclui do rol dos livros vivos, nota com a qual o mesmo Machado em seguida teve de romper para se tornar um grande escritor.

Mas voltemos à comparação com *Dom Casmurro*. Tanto a personagem de ficção como a mocinha da vida real são figuras que sobressaem, parecendo certo que farão bons casamentos, com as vantagens devidas, embora a segunda quase não toque no tema. Em conjunto, os Morley alcançam a segurança econômica no final do livro, quando o pai passa a trabalhar para uma companhia inglesa, encerrando o capítulo das incertezas da lavra e da situação de parente pobre. Sem maiores explicações, Helena atribui a mudança à proteção da avó, que naquele momento já estava no céu. Seja como for, o rumo é ascendente: "Agora não vamos sofrer mais faltas, graças a Deus".[69] Também a trajetória inicial de Capitu, de vizinha pobre a senhora do doutor Santiago, aponta para cima. Nos dois casos a poesia da escalada liga-se à reparação de um "equívoco da natureza", que fizera moças com talento nascerem numa posição de poucos meios.[70] Como o conserto da "injustiça" se deveu em grande parte à inteligência e iniciativa das próprias interessadas, que souberam lutar pelo apadrinhamento certo, fica o sentimento da sociedade desigual mas maleável, aberta à solicitação do mérito. Acresce, confirmando a impressão de fluidez, que Helena e Capitu não fazem mistério dos pormenores da pobreza, além de conservarem a simpatia pelos humildes, ao que aliás devem o olho para o elemento de impostura nas superioridades de classe. Digamos que a sua passagem ao andar social de cima parece representativa de um movimento em curso para melhor, uma tendência geral à civilização, em que mal ou bem os proprietários, e às vezes a sorte, se mostrariam capazes de reconhecer e elevar os pobres bem-dotados, os quais por sua vez, tendo uma visão menos desumana da desigualdade social, ampliariam o processo, que sairia beneficiado pelas luzes paternais de uns e a gratidão de outros. As anotações de Helena e a primeira parte do romance — *mas não a segunda!* — compartilham essa noção otimista do funcionamento da cooptação e do acaso.

69. Helena Morley, op. cit., p. 271.
70. A expressão, equívoca ela mesma, está no centro dos romances machadianos da primeira fase, onde pode ser lida em chave providencialista ou cínica. Machado de Assis, *A mão e a luva*, in Obra completa, Rio de Janeiro, Aguilar, 1959, vol. I, p. 142.

Pois bem, a estatura superior de *Dom Casmurro* tem a ver com a convicção contrária, com a certeza da vocação arbitrária e destrutiva da proteção paternalista, longe de providencial ou ilustrada, a cuja demolição polêmica a obra, sem nunca falar diretamente, dedica o melhor de seu engenho *formal*. Para conceber as semelhanças e diferenças, bem como a natureza intrincada do experimento machadiano, basta imaginar que a vida de Helena fosse contada em suas mesmas anedotas, tal e qual, por um primo obscurantista, com dinheiro e fumaças de superioridade. Meio chocado e meio atraído pela desenvoltura da parenta pobre, e desejoso também de encobrir a confusão dos próprios sentimentos, esse novo Bentinho daria um tom inculpatório — além de comovido — a suas inesquecíveis recordações. *Embora centrados na menina perturbadora, os escritos diriam respeito a prevenções e preconceitos patriarcais do primo rico, incomodado com ela e consigo mesmo.* Como se vê, não há maior dificuldade em falar de Capitu nos termos de Helena Morley, uma se engendrando a partir da situação da outra, o que indica a reversibilidade e o universo comum. Por outro lado, a mudança introduzida por nosso rearranjo "casmurro" do enfoque afeta o conjunto, já que em *Minha vida de menina* a simpatia, a iniciativa e sobretudo o ímpeto analítico ficam do lado em desvantagem, oposto à opressão e à desigualdade, ou aos tios e primos "idiotas", como acontece aliás na primeira parte do romance, de encanto bem morleyano. Digamos então que a estratégia desconcertante do autor de *Dom Casmurro* consistiu em inverter, com propósito realista oblíquo, a direção dita moderna do espelhamento entre as classes. Em vez de fazer com que a propriedade à brasileira e sua aura de privilégios, impunidades e justificações ideológicas se mirassem e se vissem criticadas nas aspirações de progresso dos dependentes, desejosos de direito e igualdade, ou seja, de civilização, Machado virava o refletor. E de fato, vista do ângulo apologético dos proprietários ciosos de autoridade, que julgam ter coberto de favores os seus dependentes, a reivindicação destes, mesmo a mais tímida, só pode parecer um conjunto de ingratidões e baixezas.

Noutras palavras, Machado tomara o partido malicioso de fingir, na sincera primeira pessoa do singular, um figurão marcadamente retrógrado. Este medita, com poesia e gravidade, o exílio até a morte que havia imposto à sua mulher adiantada e de origem humilde, a quem acusava de adúltera. Como é natural, ou quase, assentimos pressurosos às considerações de um homem grado, ainda mais tratando-se do narrador em pessoa, cuja imparcialidade e compreensão das situações enaltecem o leitor e funcionam como um *a priori* da arte do romance. Assim, amparada na reputação das classes finas e na credibilidade das belas-letras, a função narrativa desce à arena de luta e dá cobertura escandalosamente ilegítima, usando os melhores meios de que poderia dispor um homem culto, à parte "errada" do conflito. Para completar o desarranjo, a polarização senhorial e por assim dizer antirromanesca da perspectiva inverte também os pontos de fuga, e com eles a direção da esperança: em lugar dos percalços e progressos da liberdade, assistimos a *atrevimentos* desta, seguidos do justo castigo.

— Como é do conhecimento público, o ciúme volta e meia turvava o juízo do doutor Bento Santiago. As suas recordações de Capitu expressam, a par da agitação, os fantasmas do patriarca, do proprietário à antiga, do pai que acha o filho parecido com outro, do marido menos inteligente que a mulher, a quem prefere a mãe, esta sim uma verdadeira santa etc. — tudo travestido de poesia passadista. A transformação dessas emoções regressivas em padrão de elegância literária, com vasta aceitação nacional, foi um dos sarcasmos máximos da arte de Machado, conforme procurei mostrar noutra parte.[71] Dito isso, qual o propósito dessa concep-

---

71. Ver "A poesia envenenada de *Dom Casmurro*", neste volume.

ção rebuscadamente maldosa? Por que dar a palavra final — ou sua aparência — ao ponto de vista atabalhoado e autoritário? Por que fazer da pulsação confusa deste último o princípio organizador da história? Há uma perfídia como que enxadrística nesse arranjo, que delega a iniciativa, o ângulo de observação, o prestígio de uma requintada cultura sentimental e literária, além da premissa da solvência moral, à personagem cujos movimentos interiores e procedimentos intelectuais se querem sujeitar a devassa, com a intenção indireta de lhe expor a parte da ignomínia de classe e a dinâmica desastrosa.

A maestria da solução, que armava uma partida inédita com as figuras mais conhecidas da situação brasileira, se pode admirar pelo inesperado e difícil da ideia. Seu aspecto genial entretanto aparece quando não a consideramos em abstrato, à maneira formalista, mas no interior da constelação de poder e cultura que a faculta e cuja face inaceitável ela revela. O exemplo ajuda a entender em que consiste a invenção da intriga e da situação narrativa num grande romance de inspiração realista. Suponhamos que o escritor, de olhos pregados no pequeno mundo que *Dom Casmurro* e *Minha vida de menina* compartilham, estivesse também refletindo sobre o rumo da história pátria. A integração e reconciliação de todos sob o signo das famílias proprietárias, ou, ainda, a cicatrização sem mais das feridas deixadas pela ordem colonial e pela escravidão, seriam mesmo verdade? Qual a incumbência do artista, se acaso concluísse que o *partido da propriedade* não se veria forçado a optar pela civilização, nem muito menos optaria por ela espontaneamente, sendo embora família e adepto do progresso? Dizendo de outra maneira, ao entender que a nossa gente de bem não ia abrir mão de suas prerrogativas incivis, complementares da escravidão, a qual entretanto não as levava consigo ao desaparecer, cabia ao ficcionista conceber as situações narrativas à altura, capazes de desdobrar a lógica desse quadro novo, inglório e difícil de encarar. Ao confiar a Dom Casmurro a palavra "definitiva", tão culta quanto especiosa, depois de lhe haver dado também o poder da decisão unilateral, Machado montava um dispositivo de enredo deliberadamente desequilibrado, contrário à justiça em geral e à justiça poética em particular, com substância de classe intolerável — *que imitava o curso da História*. Depois de uma primeira situação, onde a relação entre dependentes e proprietários parecera desigual mas equilibrável, risonha e aberta a emenda, vem a segunda, conclusiva, quando a propriedade se desobriga de tudo, marcando a inicial como ilusão. As qualidades desenvolvidas pelos pobres no esforço de se educarem e de civilizarem os protetores que os deviam civilizar — um processo de cuja riqueza a figura de Capitu, o mundo de Helena e a própria pessoa de Machado de Assis dão prova tangível — seriam em vão. O alcance nacional desse invento dramatúrgico dispensa comentários. Não custa acrescentar que a fusão tão verdadeira de traços patriarcais arcaicos e aspectos do decadentismo da virada do século fazem do doutor Santiago uma figura não só do atraso do país, como também do progresso do Ocidente, visto o significado que tem para o mundo contemporâneo a compatibilidade das aparências modernas com a permanência do substrato bárbaro.

O que dizem uma da outra as trajetórias de Capitu e Helena? O percurso desta, todo de superações em que entra a inteligência, lembra o que se passa na parte idílica de *Dom Casmurro*, onde a namorada clarividente de Bentinho tem a iniciativa e vai alcançando os seus objetivos, também ela dando um jeito nos inconvenientes do Brasil antigo. Já a outra metade do romance, de clima tortuoso e *sui generis*, não cabe no paralelo. Ela vem à cena quando o comando da ação passa ao Casmurro, ou seja, a Bento na qualidade de marido e proprietário alterado pelo ciúme. Capitu, que havia dirigido o amigo na resistência ao obscurantismo familiar, aos preconceitos sociais e às confusões dele próprio, agora será forçada a devolver as liberdades e igualdades que acreditava ter conquistado. Depois de parecer assunto vencido, o universo da dominação patriarcal e carola está de volta, vestido das exterioridades novas da *Belle Époque*, mas com o autoritarismo de sempre. Este segundo tempo, sombriamente destrutivo, corrige o otimismo do primeiro. À sua luz, a versão mais solta das mesmas relações, como a vimos na Diamantina de Helena Morley, faz figura até certo ponto simples, ou irreal — assunto a que voltaremos.

Assim, a curva biográfica de Capitu como que inclui e discute a de Helena, a que se assemelha por um trecho limitado, cujas perspectivas a evolução ulterior desmente. De modo análogo, as relações brasileiras e as sutilezas e saídas que lhes são próprias se parecem muito nos dois livros, mas com tônica trocada. Em *Dom Casmurro* o acento cai na precedência da propriedade e de seus fantasmas, primeiro questionada, depois reafirmada com fúria discricionária. Esta trunca e espezinha as veleidades de autonomia dos dependentes, produzindo um clima especial e amalucado de restauração. Ainda aqui o mundo comparativamente aberto que vimos em *Minha vida de menina* tem equivalência dentro do romance, aliás com decisivo papel estrutural, pois funciona como a ilusão a ser desfeita *no compasso seguinte*. De outro ângulo mais, digamos que a matéria-prima em comum é composta de anotações e anedotas de nossa vida "pitoresca", entre o patriarcado e a urbanidade, às quais o ponto de vista crítico e superador das meninas imprime a graça especial. São matérias de tempo interno breve, mas dotadas de sintonia mútua, a qual faz pressentir uma organização subterrânea poderosa e objetiva, independente de intenções autorais, como vimos no livro de Helena Morley. Sem prejuízo dessa dimensão, na obra machadiana os apontamentos vêm costurados pelo fio contingente e lógico, além de comprido, da intriga propriamente ficcional. Esta inventa lances e desenrola implicações, sempre em linha com a situação narrativa e a relação de classes nela embutida, a qual é a pauta secreta da complicação romanesca. O enredo no caso funciona como um verdadeiro instrumento de prospecção, concebido sob medida para a matéria a revelar, com a qual tem uma relação de estrutura, em que o revelador por sua vez se revela. Ao ser espelhada na dinâmica suspeitosa do Casmurro, e ao espelhá-la, a nossa informalidade cotidiana, tão simpática e cheia de promessas, em que volta e meia se fundam as esperanças de autorreforma do Brasil patriarcal, mostra o desvalimento em que se encontra o campo fraco na hora da verdade. Para exemplo do desempenho traiçoeiro mas funcional da fábula, veja-se a profusão um tanto anômala de coincidências e semelhanças, indispensável aos ciúmes do doutor Santiago. Por um lado, ela seria digna do melhor sub-romantismo, não fosse que os acasos se contrabalançam e cancelam com minúcia, deixando entrever o riso cético do romancista, e com ele, atrás do tumulto das emoções, a persistência do mesmo bloqueio social e da mesma correlação de forças que estivera no ponto de partida; por outro, contudo, foi a ocasião para que se expressasse em gama ampla e comprometedora o desconforto que o direito alheio causa ao *pater famílias*. A necessidade ficcional do resultado está em proporção com a generalidade de classe na figura negativa do narrador, armada com cuidado científico por Machado de Assis, que naturalmente queria superar os rivais naturalistas nesse campo. Ironicamente disfarçada de crônica de saudades, aí estava *uma explicação moderna* do atraso brasileiro: o ambiente patriarcal e supersticioso da primeira infância, os estudos sem sentido no seminário dos padres, idem para a faculdade de direito em São Paulo, a versalhada sub-romântica documentada, a patologia do ciúme imbricado com a propriedade e a autoridade marital, a substância melindrosa das relações entre proprietários e dependentes, analisada com precisão inexcedível, a misantropia requintada mas "idiota" (como diria Helena) do pró-homem abastado e sem ocupação, tudo impregnado e modelado pela deslealdade básica da situação narrativa e social.

A seu modo, a atmosfera malsã em que termina *Dom Casmurro* configura algo como uma conclusão histórica. Embora o âmbito explícito seja o da vida privada, os traços gerais envolvidos imprimem outro alcance à anedota e ao desenlace, bem como à ruminação a respeito. Vimos que a situação narrativa dramatiza uma vitória de Pirro, com caráter de classe, ressonância nacional e inflexão contemporânea. A constelação de forças que ela transpõe para o plano da forma encontra confirmação na lógica interna do enredo, que a desenvolve, ou que lhe deduz o segredo autoritário, descartando como menos substanciosa — do ângulo da verdade artística — a saída mais justa e democrática. Assim, movimentando-se na dimensão dos encadeamentos longos e consistentes, a imaginação romanesca traz à posição-chave um aspecto das coisas que permanece difuso em *Minha vida de menina*, onde a escrita busca o valor na precisão e inteligência dos apontamentos variados. Como há consenso sobre a estatura de Machado de Assis, a ninguém surpreenderá se dissermos que em *Dom Casmurro* a matéria comum às duas obras está composta de modo superior, que faz ver mais e leva mais longe. Contudo, quem leia as redações da garota com o romance em mente pode ter a surpresa oposta, constatando que muito do que este último elaborou de modo mais sutil e profundo se encontra também no livro da Morley, em forma ocasional, mas ainda assim rica e complexa. Sirva de exemplo a incessante difamação de Helena por parte dos tios e primos, que a querem desbancar na preferência da avó. A cabala dos devotos insiste no caráter interesseiro e insincero da dedicação da neta, cuja independência faz figura de defeito moral e falta de religião. Tudo muito parecido com o zum-zum destinado a prejudicar Capitu junto a dona Glória, sem esquecer as insinuações metódicas com que o Casmurro procura desqualificar a sua amada aos olhos do público, descrevendo as melhores feições da inteligência moderna nos termos pejorativos da suspicácia patriarcal. Do lado oposto, Helena brilha ao reivindicar a sua naturalidade e ao apontar a hipocrisia dos detratores, na mesma linha combativa e esclarecida que faz a dignidade de Capitu, e eventualmente do próprio leitor, que só a golpes de inconformismo e espírito crítico se livra da conversa tendenciosa do doutor Santiago. Assim, a luta pela caracterização positiva ou negativa das condutas próprias e alheias, respondendo a interesses sociais configurados, estava na ordem das coisas, e também Helena pratica a forma de sarcasmo que consiste em adotar o ponto de vista e as palavras do adversário para deixá-lo mal, à grande maneira machadiana, levada ao máximo na construção de *Dom Casmurro*. — Se passarmos ao plano mais simples dos temas com implicação estrutural, os termos comuns não terão mais fim. Estão aí a rivalidade infernal entre os dependentes, em luta pelas boas graças dos protetores; as barbaridades cometidas pelos filhos das "famílias principais", que se acreditam melhores e podem tudo; o toma-lá-dá-cá com a Graça Divina, fundindo a superstição e a troca econômica; as relações complicadas entre a lógica do obséquio e a lógica do dinheiro; o desejo ardente e impossível de não dever nada a ninguém e escapar à humilhação viscosa do tráfico de favores; o encanto que emana, quando é o caso, da liberdade de espírito e da emancipação dos dependentes etc.

    O percurso de Capitu, que termina mal, não é mais verossímil que o de Helena, que termina bem. Até pelo contrário, pois a virada completamente infeliz da vida daquela custa a crer. A diferença aponta para o elemento judicioso e não trivial na fabulação de um grande romancista. Com efeito, quando Helena (ou Capitu, no período favorável) usa da inteligência para lidar com a estupidez, assistimos encantados à vitória das Luzes, ou também à derrota das forças que já não têm razão de ser, em especial as do atraso da ex-colônia. Contudo, embora as constantes reflexões ponham em evidência o significado generalizável das manobras da garota, os obstáculos superados nem por isso se dissolvem: continuam lá, à espera da próxima vítima. Do ângulo coletivo, há mais realidade neles que em sua superação por um ou outro felizardo. Nessa linha, quando a certa altura o romancista se convence de que a sociedade brasileira não daria o esperado passo para melhor, muda também a sua estima pelo ascenso de classe. Este já não antecipa o progresso geral e deve ser estudado segundo o seu custo em acomodações desairosas, na ausência das quais há o naufrágio, como no caso de Capitu. Digamos então que a exigência de verdade social — por oposição ao romanesco da aventura isolada — levava o ficcionista a conceber como *representativo* o destino em que um pobre cheio de possibilidades e méritos é vencido pela adversidade comum, quer dizer, pela conduta discricionária da gente de bem. Em contraste com Helena, Capitu alude ao Brasil que não dá certo. Mas ainda aqui *Minha vida de menina* surpreende. O leitor dirá se na mudança da criança crítica em moça esperta, que cuida de si, não se pressente, dentro de toda a incrível simpatia e humanidade, uma variante em processo da reconfirmação da fratura social. Por uma via ou outra, havendo arte superlativa ou havendo integridade na observação, o sistema das relações brasileiras mostrava o seu impasse.

É seguro que as afinidades que apontamos não se devem a influência. O seu eventual interesse aliás decorre daí, já que o molde comum que elas fazem supor tem de ser buscado noutro plano, externo às Letras, que só pode ser a constelação social própria ao Brasil do tempo. Mais ou menos sem querer, esta se viu figurada no livro de Helena, que a transcreve de um ângulo especial, que procuramos sugerir. Atrás da transposição, que mesmo no caso de uma escritora involuntária e tão criança não pode partir de zero, naturalmente há padrões literários e culturais. Por exemplo a moda europeia do diário na educação das mocinhas, ou também os próprios modelos de redação escolar, além da presença difusa de coordenadas românticas, que dirigem a visão para o lado relacional da vida em sociedade, e em especial para os seus aspectos peculiares. São formas eficazes, forças do cotidiano, que entretanto seria exagero chamar artísticas. Isso posto, a organização poderosa dos apontamentos lhes vem da matéria em estado de dia a dia, apreendida com acuidade notável. Por esse lado, nada mais distante da reflexão histórica amadurecida por conta própria, da composição calculada e da fatura impecável de *Dom Casmurro*. Nem por isso a obra de ficção, com seu dispositivo formal muito construído, deixa de estudar aquele mesmo espaço de interesses e contradições sociais. A relação interna se comprova pela presença, em *Minha vida de menina*, de formas embrionárias que estão desenvolvidas no romance. Digamos então que o caráter audacioso da composição de uma obra-prima nos abre os olhos para ordenamentos dispersos, de baixa definição, mas também eles interessantes e dotados de força estética, ativos em obras que espelham a experiência cotidiana sem serem de ficção. Através desse díptico tão heterogêneo, que aliás nada obriga a compor, o que se discerne e concebe são as formas da própria realidade em funcionamento, em variante romanesca ou de anotação. Se forem plausíveis as nossas observações, elas autorizam a dizer, contrariando a ideologia artística dos últimos trinta anos, que a forma não é atributo exclusivo da arte, e que a sua lógica, e mesmo a virtualidade estética, se encontram também na realidade prática, extra-artística, naturalmente sem os refinamentos da especialização. Inversamente, a inventiva ultrarrequintada de *Dom Casmurro*, longe de se esgotar em arte pura, se é que isso existe, logiciza e desenvolve nexos da vida real. A explicitação desse lastro, ele mesmo bem estruturado, confere outro peso à discussão sobre a propriedade artística do romance, pois esta última passa a estar em função de questões levantadas dentro e fora da literatura.

O exemplo é sugestivo também para o debate sobre a natureza do Realismo literário. O leitor em dia sabe que a comparação de um romance com a realidade é uma imperdoável gafe crítica, já que a literatura no fundo, a crer em seus teóricos atuais, não se refere a nada fora dela mesma e se deve somente à linguagem. Na fórmula famosa e influente de Roland Barthes, a prosa de ficção realista produz um "efeito de realidade", que entretanto nada tem a ver com esta, muito pelo contrário. No essencial, sempre segundo Barthes, aquele "efeito" — ilícito e ideológico no sentido pejorativo da palavra — resultaria do acúmulo de "pormenores inúteis", quer dizer, inúteis à progressão narrativa. De natureza *retórica*, apesar da aparência digamos empirista, o truque do detalhe *supérfluo* iludiria o leitor e faria com que este, à maneira do ingênuo que esquece que está no cinema, se acreditasse na presença direta da contingência bruta da vida, ficando escamoteada a ineludível instância da linguagem, ou de suas regras e gêneros. Lembrada a audácia formal e crítica das boas obras realistas, bem como a sua antena para as feições mudadas do mundo, a pobreza da definição, que transforma em defeito uma das conquistas da cultura moderna, deixa perplexo. É como se a composição dos romances de Stendhal, Balzac e Flaubert não buscasse de fato imitar e apreender o ritmo da sociedade contemporânea — o verdadeiro objeto novo de nosso tempo; melhor dizendo, tudo não passaria de jogo de cena, pois o objetivo precípuo seria enganar o leitor mediante a "ilusão referencial", fazendo que este desconhecesse a diferença entre o livro que tem nas mãos e a realidade lá fora.[72] Noutras palavras, a experiência social e os sistemas de linguagem que governam a literatura existiriam em domínios estanques. Para o que nos interessa aqui, o Realismo assim entendi-

---

72. Roland Barthes, "L'Effet de réel", in R. Barthes et al., *Littérature et realité*, Paris, Seuil, 1982, pp. 85-9.

do perde a dimensão atualista e mimética, aberta para as configurações *sui generis* que o novo sentimento da História descobria, configurações vislumbradas pelo escritor na profusão dos objetos e nexos empíricos, e promovidas a princípio de composição, o qual será depurado e estilizado em termos de seu dinamismo próprio. Ao romper com as formas convencionais, a escrita realista — a despeito de Barthes — tomava a si o encargo de imaginar e compor, para uso da contemplação crítica, o movimento da sociedade, cuja figura, por mais que digam, não é de retórica.

...

Passado um século, os apontamentos de Helena Morley não mostram sinal de envelhecimento. A decantação da experiência nacional lhes foi favorável, ampliando a sua ressonância, além de nos educar o senso para o acerto infalível, nunca simplório, de sua naturalidade. A reunião dos papéis velhos em 1942 terá atendido a um sentimento dessa ordem, além de refletir talvez o novo interesse pelo Brasil social. Seja como for, a inteireza surpreendente das anotações, *em que o tempo não descobriu debilidades,* desafia a crítica. Mais ainda se considerarmos os contemporâneos famosos, que quase sem exceção envelheceram mal. Basta lembrar por exemplo a escrita ou as certezas de Euclides, Pompeia, Bilac e Aluísio, cuja componente mistificada os anos foram sublinhando. Sem prejuízo dos acertos importantes, são figuras que em comparação com a moça parecem saídas de um museu de equívocos. No caso, o gênero caseiro e colegial do diário, à margem das pseudossuperioridades em que se alienava a produção culta do país, pode explicar alguma coisa. Com efeito, *Minha vida de menina* não paga tributo à missão patriótica das artes, ao liberalismo retórico, ao casticismo, à linguagem ornamental, à invenção de antigas grandezas, ao ranço católico e tampouco à meia-ciência triunfante —

com a sua terminologia "difícil" e os chavões doutos sobre o trópico e a raça — que separadamente ou em conjunto investiam de autoridade os intelectuais e as letras do período. É claro por outro lado que para escrever com verdade não basta escapar aos defeitos correntes, e que estes últimos, desde que integrados em veia crítica, podem também dar força a uma literatura de primeira, como no caso de Machado de Assis. Mas é fato que à luz da simplicidade complexa de Helena muito da obra erudita e do esforço cultural dos contemporâneos parece oco e lamentavelmente ideológico.

Num episódio sugestivo a esse respeito, chega a Diamantina uma parenta bonita e bem-vestida, que fala "tudo como se escreve, sem engolir um *s* nem um *r*". Diante de uma bandeja de frutas, ela responde: "Aprecio sobremaneira um cacho de uvas, dona Agostinha". As primas ficam de queixo caído e sem coragem de abrir a boca perto dela. Mais tarde, gabando a visita e criticando as sobrinhas, uma tia observa que antigamente as moças prestavam atenção, "para aprender as palavras empoladas". Por exemplo, diziam bispote em vez de penico. "Hoje vocês não prestam atenção a nada, falam tão corriqueiro!" Na hora da janta, as meninas vingam-se da tia: "Aprecio sobremaneira uma coxa de galinha", "aprecio sobremaneira as batatas fritas".[73] Entre muitas coisas, a cena mostra a irreverência juvenil e belicosa de que se nutre a estética de Helena, com birra por tudo que seja ostentação social, também nos modos de falar. Vista por esse ângulo, a linguagem afetada tem parte com as demais formas de elevação nociva — "idiota" para falar com a Autora — a que um coração direito não se curva. Ela é parente da devoção fingida, do nariz torcido em geral, das proibições enjoadas que infernizam os dias das garotas, do preconceito contra o trabalho braçal e os negros, das presunções de superioridade das famílias importantes, em suma, do sis-

---

73. Helena Morley, op. cit., pp. 241-2.

tema de segregações e prerrogativas próprias ao Brasil velho, sentidas por Helena como outros tantos impedimentos. Esse o quadro muito vivo em que o estilo sem literatice, que não dá curso à dimensão aparatosa da dominação de casta e classe, tem vibração polêmica, além de esclarecida.

Cinquenta anos mais tarde, quando os cadernos viraram livro, o quadro era outro. Conforme a nota introdutória da Autora, os apontamentos de sua infância agora poderiam ter função educativa, "mostrando às meninas de hoje a diferença entre a vida atual e a existência simples que levávamos naquela época".[74] A publicação apresenta o passado à juventude moderna, a vida modesta à abastança, e uma província — singularmente simpática — à capital e ao país, que viviam a ditadura do Estado Novo. O propósito de integração cultural e nacional estava no ar do tempo, e talvez afinasse com o desejo de valorizar os costumes democráticos e a civilidade na raiz de uma família influente de Minas, a terra da política. — Passados outros dez anos, quando Elizabeth Bishop aporta no Brasil, duas ou três pessoas lhe recomendam *Minha vida de menina* como o nosso melhor livro desde Machado de Assis.[75] Não sabemos quem eram os entusiastas nem quais foram os argumentos, mas é fácil imaginar que combinassem a petulância de inspiração modernista — a garota genial, superior aos "mestres do passado" — e o tradicionalismo familista em vertente cosmopolita, instalado na capital da República — para o qual o país verdadeiro e amável estaria nucleado ali, na vida e na prosa de Diamantina, universalmente interessantes, por oposição às descaracterizações ulteriores ou da própria época. A conjunção é paradoxal, mas, pensando bem, tem lógica no quadro da modernização conservadora. O Modernismo ele mesmo havia colhido na

---

74. Op. cit., p. 3.
75. "'*The Diary of 'Helena Morley*': the Book & its Author", p. 81.

herança colonial do país — antediluviana, familiar e vigente — os *objets trouvés* que lhe serviriam como logotipos do Brasil com visual avançado.[76] E aliás, esticando a noção, o nosso livro não deixava também de funcionar como um incrível *objet trouvé*. Seja como for, o ponto de vista *estético* fixava-se no resultado e fazia pouco das intenções, desarrumando o *ranking* das importâncias, que em geral reflete as lutas de doutrina e a militância consciente dos escritores e das obras. Embora despretensiosas na origem, as anotações da menina subiam a uma posição inesperada. A comparação com o grosso da literatura nacional lhes resultava favorável, ou ainda, para dizer de modo mais polêmico, resultava desfavorável a esta última. As novas coordenadas propunham um problema crítico especial: assinalar e explicar as qualidades formais que dão vida à prosa de Helena, qualidades eficazes no plano da beleza, embora distantes dos procedimentos literários em sua acepção especializada.

Mesmo o leitor vanguardista, habituado a ver as convenções como superadas, ou a julgá-las aceitáveis só em forma paródica, fica surpreso com a sua ausência pura e simples. Com efeito, nada mais "corriqueiro", para adotar a expressão da tia, do que a escrita da sobrinha, avessa às marcas externas da distinção, tanto social como linguística. Trata-se de poesia sem aviso prévio, quer dizer, sem apoio em figuras de linguagem, rebuscamento sintático, referências cultas, termos raros, cuidados com a eufonia, sem filiações de escola, climas de mistério, sugestões vagas etc. Em termos positivos, a qualidade poética se prende ao prosaísmo estrito, com dicção, objetos e situações comuns, e a clareza maior possível, em contraste deliberado com as veleidades opostas, onde tinham res-

---

76. Para as implicações desta operação estético-ideológica, cf. Vinicius Dantas, "Entre 'A negra' e a mata virgem", in *Novos Estudos Cebrap*, nº 45, julho de 1996, especialmente pp. 110-2.

sonância as desigualdades coloniais e as presunções correspondentes. A forma, que no caso está quase inteiramente desconvencionalizada, coincide com a riqueza das relações internas do material. As anedotas, os ditos e as breves reflexões a respeito repercutem entre si e multiplicam as perspectivas, compondo um conjunto em que tudo se relativiza e ironiza segundo a própria compleição. Essa inerência da teia relacional à matéria é rara e realiza em alto grau uma das ideias-força da cultura moderna. Em lugar do ornato aliteratado, a ressonância da complexidade objetiva.

Contradizendo um pouco essas observações, não faltam as entradas em cuja composição se conserva um resto de receita literária escolar: os episódios terminam de modo quase sentencioso, ou pelo menos destacado, como numa fábula em que o final recolhesse a lição do caso. Acontece que as relações entre a moral e a anedota nem sempre ficam claras e às vezes não se sustentam. De modo geral, a segunda vale mais que a primeira, a qual fica engraçada pela impropriedade meio infantil, integrando-se à cena como um traço a mais, involuntário e significativo. Assim, depois de contar como os pressentimentos da mãe haviam detido o pai a dois passos de achar um caldeirão de diamantes ainda virgem, o qual teria enriquecido a família: "Eu não acredito que dinheiro traga desdicha a ninguém".[77] Menos que uma verdade abstrata, de utilidade superior, temos diante de nós a menina decidida a tirar as suas conclusões. Noutro plano, ainda quando não funciona e não passa de vestígio, o modelo da fábula-com-ensinamento explicita o tônus esclarecido do conjunto, em que é permanente o esforço de notar e entender, aprender e comunicar. O melhor, contudo, acima da forma didática e do ânimo conclusivo, vem na discrepância com a entrada seguinte, onde um dia cheio de alegrias campestres, que o dinheiro não compra, relativiza o aprendi-

---

77. Helena Morley, op. cit., p. 88.

zado utilitário anterior. — Dito isso, não acertamos com o timbre do livro se não levarmos em conta que nele absolutamente tudo vem tingido pela vida em família, inclusive o que em princípio pareceria lhe escapar, como a distância analítica, o humorismo lacônico, a recusa da empulhação, a secura do bom senso, ou seja, os recursos da Razão individualista. Mesmo nos episódios em que pessoas de fora ocupam o primeiro plano, há sempre a presença de parentes, armando um espaço por assim dizer interno, intrafamiliar, fazendo que a observação e o raciocínio estejam impregnados por essa relação, a que respondem e que em última instância dá o tom. Como a autora é criança, não há nisso nada inverossímil, nem aliás promissor. Apesar de natural, a invocação constante de mamãe, papai, vovó e titia enjoa, e o leitor sóbrio custa a admitir que uma literatura com tais referências possa ter valor. De fato, pelo que significam de acatamento e dependência, aqueles termos pareceriam emprestar à formulação da menina um viés acanhado, em que estariam juntas as limitações da infância e as do âmbito doméstico, além da pieguice.

Como explicar que esses enquadramentos, em princípio regressivos, sustentem uma prosa forte, de clara feição crítica? Adiante voltaremos às circunstâncias históricas em que o modelo paternalista inesperadamente pôde trocar de sinal e fazer figura *moderna*, inversão aliás que iria se repetir no Modernismo de 22.[78] Por agora notemos que na família Morley a ordem patriarcal perdera as feições autoritárias. Helena ouve com curiosidade divertida as histórias do tempo antigo, quando o avô casava as filhas sem as consultar, ou quando a simples presença do patriarca fazia disparar os intestinos de uma tia.[79] Para a nova geração, as mani-

---

78. Roberto Schwarz, "A carroça, o bonde e o poeta modernista", in *Que horas são?*, São Paulo, Companhia das Letras, 1987.
79. Helena Morley, op. cit., pp. 236 e 54-5.

festações de orgulho familiar extremado haviam virado anedota. Na escola, as normalistas acham graça numa colega de cabelo "emaranhado" que grita para a outra: "Pensa que sou da sua igualha? Sabe lá você quem é meu pai, para ter a audácia de me aconselhar? Eu, com este cabelo, valho vocês todas aqui, sua cachorra! Eu sou filha de Dinis Varejão!".[80]

Era natural que nos lugares remotos do país, afastados da esfera oficial, os negócios públicos fossem tratados em linguagem familiar. Os lados pitorescos dessa mistura ficaram famosos, bem como a sua cota de simpatia meio utópica, ligada à sugestão — anacrônica — de um governo sem formalismo. Os inconvenientes também são óbvios, pois nada melhor que a informalidade para o mandonismo dos proprietários, de quem o Dinis Varejão do parágrafo anterior talvez seja um exemplar, ou um parente pobre. A prosa de Helena, que se diferencia pelas qualidades especiais ensaiadas em sua família, pode ser vista como uma versão evoluída dessa matriz. De fato, à volta do pai com mania de equidade e amigo de explicações, a quem a mulher e os filhos não têm medo, cria-se um microclima diferente, alheio ao obscurantismo. De modo paradoxal, pois o cerco do atraso pressiona, a relativa pobreza também empurra em direção esclarecida. Ao mandar que todos façam de tudo, ela atenua o pedaço de Colônia embutido na especialização econômica, além de favorecer os expedientes improvisados, em que as condições sociais são encaradas pelo ângulo do cálculo espontâneo das conveniências, inovador e sem fórmula fixa. Acresce que na casa dos Morley há estima pelo estudo e pela inteligência, de modo que a precariedade material, em vez de ser acolhida em veia de fatalismo, funciona como estímulo à acuidade crítica e ao humor. A certa altura o pai faz as contas das tentativas de ganhar dinheiro com que sua mulher procurava remediar a

80. Op. cit., p. 179.

inépcia dele próprio. "Quando viu o prejuízo, ele virou para ela com sua pachorra e disse: 'Carolina, minha filha, não fique se matando tanto assim à toa. Esses seus negócios estão nos dando prejuízo. É melhor você ir passear em casa de sua mãe e suas irmãs e deixar de negócios.'"[81] Sem favor, a saliência do interesse econômico, junto com a sua constante relativização pelas considerações de felicidade familiar, dão um espetáculo de raro equilíbrio e liberdade de espírito.

Voltando a nosso ponto de partida, e sem desconhecer a parte da preferência, digamos que a dicção familiar e não literária de Helena está viva, ao passo que os alardes estilísticos e científico-filosóficos que marcaram a virada do século hoje impressionam sobretudo pela inadequação, muito característica. Para o passadista de hoje, o contraste pareceria manifestar a vitória do eterno sobre a moda, da província sobre a capital, do autêntico sobre o estrangeirado, do natural sobre o artificioso e assim por diante. A linha deste ensaio vai na direção oposta e procura identificar a energia histórica da naturalidade de Helena, que expressa um conjunto preciso de superações sociais, pessoais e de estilo, de evidente valor. Estas têm força artística, embora se tenham configurado à margem da evolução literária, com a qual entretanto entram em confronto a partir do momento da publicação em livro. Assim, a qualidade dos escritos de Helena, que são fruto de um avanço consequente em raia própria, não serve para gabar a inconsciência intelectual, nem para sugerir um território de beleza indiferente às classes e acima da história. Mas de fato, o contraste com o bloco do verbalismo prestigioso, da pirotecnia bibliográfica e científico-filosófica deixa pensativo, colocando em evidência os descaminhos e as teratologias eventuais da atualização em nações de periferia, ou ainda, apontando o caráter retrógrado e de-

---

81. Op. cit., p. 160.

sastrado da modernização brasileira, que volta e meia transforma no contrário as nossas necessárias e inevitáveis aspirações de progresso, também na área da arte.

Já comentamos a densidade relacional, cheia de *subversões integradoras* (por oposição ao primarismo da dissociação), que a prosa familiar e *adiantada* permite enxergar no cotidiano. Este se reflete nela com verdadeiro proveito, ou seja, faz figura levemente defasada, envolvido numa ironia ubíqua e explicitável, nascida do movimento das relativizações efetivas ou virtuais, que são uma espécie de progresso com referência *local*. Dito isso, a comparação que está nos interessando tem a sua pedra de toque nos modos de encarar o campo dos dominados (o "outro" por excelência). Transformada em relação cognitiva, *a familiaridade como que pressupõe um parentesco geral,* a que o verso de Drummond alude em chave modernista: "Aqui ao menos a gente sabe que é tudo uma canalha só".[82] Invertendo os termos, ficam sem apoio a estranheza e as objetificações absolutas, outros nomes para a mitificação — inclusive científica — do abismo entre as classes, alimentada pelo passado escravista ou pelo esboço de assalariamento. Assim é sob o signo da sem-cerimônia caseira que Helena busca entender, por exemplo, as condutas "incompreensíveis" dos negros, trazidas da África, ou formadas na senzala, ou aprendidas dos brancos. Vejamos o caso da cozinheira Magna, que tem o costume de surrar o marido Mainarte e acaba na cadeia por tentar esganá-lo. A explicação dela para as surras repete a lição de alguma dama proprietária: "Eu não capeio preguiçoso". Já a tentativa de morte foi um engano. A avó de Helena pergunta: "'Por que é que você quis matar o pobre coitado que não lhe fez mal nenhum?' Ela respondeu: 'Não, senhora! Ele mesmo é que é da raça de gente que

---

82. Carlos Drummond de Andrade, "Explicação", in *Alguma poesia, in poesia e prosa*, Rio de Janeiro, Nova Aguilar, 1979, p. 98.

morre! Eu só apertei o pescoço dele e pus a língua de fora pra não me responder. Eu não quis matar ele, não, senhora'".[83] Noutro apontamento, com dois tempos, o crioulo Emídio é jogado escada abaixo por tratar de igual para igual uma pessoa de respeito. Helena gosta, porque acha o agregado "muito intrometido". Em seguida ela observa que ele é esquisito: "mete o dedo no azeite de lamparina e lambe como se fosse melado". O que pensar da doidice? Será que azeite de lamparina é gostoso ou faz bem à saúde, e Helena não estava sabendo? Haveria relação dessa falta de juízo com a anterior, que valeu os tapas ao rapaz? Noutra ocasião, este cura uma dor de dente com um espeto em brasa: "eu vi o chiar da carne e fiquei horrorizada. Não se queixou de dor de dente depois disso".[84] Tanto no episódio de Emídio como no de Magna, há uma parte de desatino bronco que se encaixa sem dificuldade no dia a dia das famílias, a que diz respeito em profundidade. Mesmo a parte que se diria bárbara, estrangeira aos civilizados, não é nada do outro mundo, e no caso do espeto em brasa ela não é vista sequer como absurda. O chiado apavora Helena, que entretanto reconhece que o agregado parou de se queixar, ao contrário de muitos brancos, que na mesma situação reclamam durante dias, ao que se acrescenta a filha de dona Augusta, que morreu de um dente arrancado.[85] Não está excluído que havendo necessidade Helena queira experimentar o método de Emídio. Também a truculência de Magna, embora ligada ao mundo dos ex-escravos, facilmente se poderia repetir entre os brancos. Por fim, mesmo as formas extremas de ignorância e superstição, que custam a vida, ou, em certo caso, os olhos de uma criança,[86] não são atribuídas

---

83. Helena Morley, op. cit., p. 32.
84. Op. cit., p. 78.
85. Op. cit., p. 19.
86. Op. cit., p. 199.

com exclusividade ao povinho miserável, que não constitui espécie à parte.

Suponhamos agora que esses mesmos episódios fossem vistos do ângulo da prosa cientificista à brasileira. A sua feição mudaria, pois em última instância teriam de ser ligados a alguma tara racial, ao clima africano, a uma sucessão de etapas geológicas, ao atavismo religioso etc. Pouco se falaria de propriedade da terra, parentesco, relações de trabalho e mando, ou da escravidão recém-abolida. Noutras palavras, as explicações apelariam para leis naturais remotas, a anos-luz dos conflitos sociais do dia a dia. Não admira que Sílvio Romero, embora adepto ele mesmo dos determinismos naturalistas, achasse "cósmica demais" a doutrina do ilustre Buckle, que atribuía aos ventos alíseos o nosso "inveterado barbarismo"...[87] Seja como for, a mistura de inconformismo e conformismo implicada nessas naturalizações da herança colonial ainda está por ser destrinchada. Ao converter-se à visão cientificista, e sobretudo à terminologia correspondente, o escritor "modernizado" abria mão da inteligência das coisas depositada na linguagem comum, na lógica do cotidiano, na prática política e nas regras da inserção social dele mesmo. Ou melhor, relegava a plano secundário o que sabia por experiência própria e alheia a respeito do funcionamento do país. Em troca adquiria uma superioridade duvidosa, para a qual contribuíam o culto à Ciência e ao Progresso, mas também a credulidade tradicional e a admiração primária pelo palavreado impronunciável. A descontinuidade mental introduzida por essa reforma do espírito, que não foi a última de sua espécie, merece reflexão. Ao menos em parte ela repunha, com fachada de teoria, a fratura social que em tese a Abolição devia superar. Para contraste, considere-se a obra contemporânea e su-

---

87. Sílvio Romero, *História da literatura brasileira*, Rio de Janeiro, Garnier, 1902, vol. I, p. 14.

perior de Joaquim Nabuco, *O abolicionismo* (1883), que valorizava ao máximo os termos *correntes* em que vinha se dando a luta em torno da escravidão no país, no mundo, dentro do Autor e dentro também de seus adversários, tratando de aumentar e aprofundar a consciência crítica a respeito. Onde a filosofia evolucionista media por etapas antropológicas e seculares o arcaísmo da escravidão, em detrimento do desempenho e dos dividendos desta no presente, Nabuco buscava as expressões atuais do conflito, para analisá-las, entender a sua carga de força histórica e impasse, conceber em funcionamento a ordem social que as sustentava e tratar de a transformar. Até hoje a integridade e profundidade de seu livro desconcertam. Ao passo que a ala cientificista de nossos críticos, diante do autoexame social a que a dissolução da ordem escravista convidava, foi buscar autoridade e recursos intelectuais na miragem da ciência europeia, assimilada em variante degradada, quase supersticiosa. Não há dúvida quanto ao ímpeto de luta das convicções evolucionistas, que arremetiam contra o providencialismo católico e a idealização da ordem tradicional. Mas a sua virtualidade legitimadora num país que, levada a cabo a Abolição, não pensava trazer os seus pobres à cidadania, também é evidente. As teses fantasiosas mas sempre extrapolíticas sobre os fundamentos do atraso social engrenavam à perfeição com as novas desigualdades do Brasil oligárquico. As ironias dessa afinidade não escaparam a Machado de Assis, que as resumiu e imortalizou na filosofia "humanitista" de Quincas Borba. — Digamos então que a fisionomia desastrada da prosa cientificista entre nós se prendia a esse núcleo *regressivo*, em que a disposição ultracrítica inclui uma parte de deslumbramento complexado e autoritário, além do fatalismo. Embora nem todos vejam assim, não há como desconhecer o funcionamento obscurantista da terminologia técnico-arrevesada. O uso do vocábulo esotérico, impregnado de pseudociência, preconceito corrente e dogma à antiga, a que não falta a nota parnasiana, credenciava o escritor como sócio da elite mundial dos sabedores, e o incluía também na camada dos homens que deveriam mandar no Brasil, não fossem as injustiças de sempre. Ao passo que os pobres objetos da conceituação naturalista ficavam colocados a uma distância que não dá margem a réplica: " — Bolha não tem opinião", explica Quincas Borba a seu ignaro discípulo.[88] A eventual salvação estética do edifício ocorre a contracorrente, nos momentos em que ele vem abaixo, quando por exemplo o sertanejo, para vexame da teoria, mostra não ser um fraco, ou quando o leitor, de preferência mestiço, nota que o próprio cientista não é branco, transformando em lixo historicamente característico um cipoal de doutrinas acatadas. Nada disso acontece à prosa de Nabuco, Machado de Assis ou Lima Barreto, a qual não criou bolor, ou seja, não sofreu a desqualificação da História. São escritores que buscaram educar o seu viés na figuração e análise das relações *sociais* (por oposição a *naturais*), de que formavam parte e a cuja filtragem sujeitaram o vagalhão naturalista. Com as diferenças do caso, algo de mesma ordem vale para Helena Morley e a sua escrita em registro familiar e irreverente. "Padre Neves me disse outro dia, quando eu lhe contei que um primo me havia dito que o homem vem do macaco, que é um grande pecado ouvir essas coisas. Eu não tinha visto, na História Sagrada, a história de Adão e Eva? Eu calei. Mas se Padre Neves conhecesse o macaco que tem aqui na vizinhança, até ele era capaz de acreditar. Esse macaco é mais inteligente que muitos meninos que eu conheço. A dona dele é Siá Ritinha, que furta as galinhas dos vizinhos."[89]

A claridade e a concreção em que a menina se especializa satisfazem o gosto moderno, que encontra nelas o contrário de nossa mesmice profusa e opaca. Por um paradoxo fácil de enten-

---

88. Machado de Assis, *Quincas Borba*, cap. VI.
89. Helena Morley, op. cit., p. 110.

der, elas tinham a ver com o empobrecimento relativo da região, o qual não apagara o ponto de vista esclarecido e urbano, mas o combinava a uma coleção pitorescamente sumária de bens, posições e atividades. Mais adiante, associado à bandeira primitivista das vanguardas artísticas europeias, esse quadro *reduzido* se tornaria proposta estético-política para o país nos manifestos modernistas de Oswald de Andrade, que revolucionavam e punham em dia o nosso gosto, e criavam uma imagem "de exportação" de nós mesmos, na qual o déficit em civilização mudava de sinal. "A poesia está nos fatos. Os casebres de açafrão e de ocre nos verdes da Favela, sob o azul cabralino, são fatos estéticos. [...] A Poesia Pau-Brasil é uma sala de jantar domingueira, com passarinhos cantando na mata resumida das gaiolas, um sujeito magro compondo uma valsa para flauta e a Maricota lendo o jornal."[90] A surpresa reservada pela construção oswaldiana vem na compatibilidade, entre patriótica e utópica, além de humorística, da inocência dessas figuras com as ousadias da arte moderna e do progresso técnico. Na prosa de Helena, onde quase não constam os avanços materiais, e muito menos as invenções do vanguardismo, a afinidade moderna decorre da existência múltipla — mas clara e sem sombra — conferida aos seres pelo conjunto variado de seus funcionamentos, *sem nada além*. Uma luz franca, inimiga do passadismo e da superstição, amiga da satisfação de todos, avançada no melhor sentido da palavra. Como na literatura de Oswald, o atraso não é visto de maneira esterilizante. Note-se a propósito que não há no livro descrições propriamente ditas, dessas que a pretexto de impressionar os olhos fazem proliferar a palha ideológica. Apesar da importância que têm frutas e verduras, frangos e gatos, vizinhos e parentes, pouco lhes conhecemos o aspecto, o

---

90. Oswald de Andrade, "Manifesto da Poesia Pau-Brasil", in *Do Pau-Brasil à Antropofagia e às utopias*, Rio de Janeiro, Civilização Brasileira, 1978, pp. 5 e 9.

que não impede que todos figurem com notável colorido, através do desempenho dos seus diferentes papéis. Veja-se, para exemplo, o episódio em que o irmão de Helena volta da escola e dá pela falta dos ovos que a galinha estava para botar. Prontamente o menino pega na vassoura para matar a gata da casa, que é mais esperta do que ele e foge. A mãe, menos precipitada, acha que o ladrão pode ter sido um teiú, que andava chupando ovos na redondeza. O bom senso diz que nesse caso as cascas deveriam estar por perto. Como não as encontra, o menino conclui que foi mesmo a gata, que já havia comido os pintos da irmã. Dona Carolina lembra que pintos não são ovos e manda ver se o portão não está aberto, pois a culpa podia ser igualmente da criançada da rua. E de fato o portão não estava fechado, para desconsolo de Renato, que segundo a irmã é mais louco por ovos que o próprio teiú e contava comê-los fritos naquela noite.[91]

O encadeamento enxuto dos atos, que em si mesmos não têm mistério nenhum, aciona um sistema vivo e cheio de poesia, muito *sui generis*, que mostra a intimidade e certa reversibilidade entre categorias que em boa norma não se deveriam misturar. A riqueza da cena vem da combinatória em que se inserem a anedota e seus elementos, ou da ordem sincrônica de cujas virtualidades o episódio é um caso particular, interessante pelo que as comparações cabíveis — e irônicas — possam sugerir. Dependendo da oportunidade, os ovos da galinha são para consumo do dono, dos bichos silvestres, dos animais domésticos ou dos meninos da vizinhança, de que o proprietário furioso, que tampouco é santo, noutros momentos faz parte. Estabelecida a fome comum, em que comungam homens e bichos, donos e vizinhos aproveitadores — uma *troupe* de composição heterogênea, curiosa para a história social —, passa a interessar a diferença, pois cada uma dessas apropriações atende

---

91. Helena Morley, op. cit., p. 113.

urgências próprias e em competição, além de despertar pensamentos específicos, engraçados de imaginar. Qual é o pior ladrão: os companheiros da rua, a gata da irmã ou o lagarto do mato? A questão da propriedade está posta, mas envolvida em ironia objetiva, sem excesso de convicção ou moralismo, e sem exclusão dos animais. Acresce que as avaliações se fazem igualmente em sentido contrário: a irmã considera Renato quase um bicho, a gata parece ter opinião formada a respeito dele, ao passo que a mãe quer educar o menino turbulento, cujas conclusões acha apressadas. Note-se também a enumeração completa dos ladrões possíveis, indicando o conhecimento consumado da situação, que confere ao tom familiar uma autoridade e um equilíbrio peculiares, além de exemplificar de modo singelo o que se possa entender por vida às claras. Nesse sentido, a paixão de Helena pela experiência repertoriada, com a correspondente música interna das semelhanças e diferenças, é um fator decisivo da maestria de sua prosa, em que o saber conta. Veja-se por exemplo a página onde estão inventariadas e comentadas as peculiaridades das mulheres da família, ou outra, avaliando os vícios comuns em Diamantina, ou outra ainda, repassando um rol de superstições.[92] São resultado de uma espécie de acumulação estudiosa, em que o interesse assíduo pelas anedotas familiares e da cidade ganha, como que espontaneamente, uma dimensão abstrata e analítica, a qual ultrapassa o prisma convencional e se torna uma forma de consciência abrangente. Digamos que as coisas, os atos e os sujeitos, sem diminuição da presença singular, são apreendidos diretamente em sua existência social, como parte de um funcionamento compreensível e numeroso, com galeria de personagens e distribuição de papéis que não correspondem à sua autoimagem normativa.

    Voltando aos ovos, nada mais provado que as suas utilidades

---

92. Op. cit., pp. 177, 150 e 135-6.

uma a uma — bons de comer, crus ou fritos, apreciados por humanos e lagartos, mas não por gatos, fáceis de furtar, apropriados para a venda, necessários à criação etc. — que entretanto formam uma lista diferencial, ou um sistema abstrato, em que a coletividade figura em resumo, o qual desperta riso (por quê?). Também os usuários fazem parte de uma lista diferencial dessa espécie concreto-abstrata, além de extravagante: há semelhanças e diferenças, no caso, entre o teiú, o gato, o dono da galinha e os meninos da rua, cada qual pertencendo a uma categoria (bicho do mato, animal doméstico, criador-dono, amigo do alheio), ou todos unidos e confundidos na mesma (os eventuais ladrões), conforme o ângulo e o momento. Os próprios ovos, para serem o que são, diferenciam-se no interior de outras tantas listas, que variam e coincidem parcialmente segundo cada um dos usuários mencionados: para o teiú eles talvez precedam os insetos e as larvas, que no entanto incomodam os humanos, cujas listagens, que refletem a divisão da sociedade, são encabeçadas pelo ouro ou pelo diamante, que não aproveitam ao gato. São distinções límpidas, fundadas na diversidade dos viventes, das coisas e dos interesses, que têm tanto de naturais como de sociais. A consideração das permutações possíveis nessas matrizes, complementar das trocas de perspectiva, pode ser levada longe demais e perder contato com as anedotas, a cujo espírito entretanto corresponde em profundidade. Além de humorismo morleyano, a reversibilidade em permanência entre os termos das séries é ela mesma um índice histórico, pelo que mostra de fluidez no travejamento social, a que a nova mercantilização não havia ainda imposto a sua hegemonia. Com efeito, o valor econômico figura como um atributo a mais das coisas, como que uma utilidade entre outras... Passando à substância, ou melhor, às coordenadas cuja fixidez o movimento questiona: sem quebra da rotina, o que alterna no caso são âmbitos civilizacionais inteiros, ensejando o confronto, em pé de igualdade relativa, entre a atividade de coleta, a economia de subsistência, a herança patriarcal-escravista, a civilidade urbana e o novo horizonte pós-Abolição, numa experiência de interesse inesgotável. O ponto de equilíbrio a cuja volta essas modalidades de vida contracenam e se acomodam suscita questões próprias, que a despeito da ótica infantil da Autora, às vezes próxima do engraçadinho, têm a seriedade incontornável do que é estrutural. O vaivém isento entre os pontos de vista leva a perguntar, por exemplo, mais na prática do que em consciência, se de fato é melhor, ou mais natural, criar galinhas do que procurar ovos no campo, ou pegá-los no quintal em frente, isso se não for mais adequado descrer de exclusivas. "Pecado? Pecado eu nasci sabendo que é furtar e não poder carregar", explica a boa e prestativa Maria Quitéria, justificando o frango ensopado na mesa.[93] Vistos em separado, os exemplos como este dão uma ideia insuficiente da grande animação interna do conjunto, em que nalguma medida vão se tornando tangíveis as promessas, as abominações e os absurdos que os subsistemas de vida encerram uns para os outros. A frase sem artifício de Helena, rijamente referencial, acompanha e encena de perto a diversidade e as oposições em movimento nas anedotas, bem como as viravoltas e os quiproquós correspondentes — sempre momentos de espírito — que lhe imprimem a pontuação vivaz, onde por isso mesmo o anódino não cabe. Hoje que a equivalência mercantil engolfou quase por completo o substrato natural da vida, além de tornar matéria de adivinhação o processo de reprodução das sociedades, esse andamento de diferenças que não são indiferentes adquiriu algo luminoso.

Numa das várias comilanças festivas do livro, Helena senta perto do professor de português, seu Leivas, o maior bebedor da cidade. A certa altura, depois de o padre Augusto ter recitado ver-

---

93. Op. cit., p. 186.

sos em homenagem à dona da casa, o professor enche as bochechas e faz uma careta engraçada. Sem entender nada, a menina não desprega os olhos dele e começa a rir. O vizinho fronteiro, mais sabido, agarra a travessa de lombo com batatas e a esconde embaixo da mesa. Em seguida as bochechas de seu Leivas voltam a encher, e desta vez "dois esguichos de cerveja lhe saíram pelas ventas e regaram todos os pratos em frente". Pelo menos a travessa de lombo estava salva.[94] A nitidez da sequência e das partes que a compõem, bem como os pormenores fáceis e insuperáveis (o verbo regar, com a sua andadura aprazível, em câmara lenta), lembram a comédia de pastelão. O dom e o gosto de olhar bem e distinguir, que tanto se aplica às etapas de um desastre como às fases de um dia perfeito, aos diferentes lados de uma questão, às modalidades de sobrevivência disponíveis, aos temperamentos das tias, aos espaços de Diamantina etc., talvez seja o impulso básico da escritora. Combinada à prosa substantiva, que dispensa adjetivações e tecido conjuntivo, a visão discriminante ganha algo de abrupto e alegre, como que dizendo que os elementos, em sua separação e seu destaque, mais definidos pelas constelações práticas do que pela tradição literária, têm direito de cidade, de que faz parte a constante troca dos perfis. Ovos são produtos de criação? e se forem comestíveis naturais, a que temos direito, à maneira do teiú, como ao ar que respiramos? mas eles não são também uma forma incipiente de dinheiro? A linguagem que se abstém de conotações poéticas abre espaço para a poesia objetiva dos atos, das situações, das coisas *e da linguagem ela mesma*, tudo instável e multifacetado dentro da estabilidade geral. Na superfície, os contornos firmes se devem ao golpe de vista exato e ao trato familiar com a vida da cidade, que em nenhum momento deixam faltar a palavra certa, além de pronta. Isso posto, existe no livro uma plas-

---

94. Op. cit., p. 48.

ticidade de outra ordem mais complexa, para a qual a acuidade da menina entra apenas como um ingrediente, decisivo mas transmutado. O sistema de perspectivas históricas embutido na matéria tratada desloca a ordem fixada nos apontamentos. Assim, por exemplo, a visibilidade do noivo sem perna, embora não dispense a comédia para a vista, também ela de pastelão, decorre igualmente das relações do defeito com a misericórdia divina, a necessidade de ganhar a vida, a proteção de alguma família, a desproteção relativa da própria família dos protetores, além da dedicação da desamparada Benvinda, dimensões que a seu modo e com suas contradições mútuas nos enchem os olhos do espírito, muito além da petulância da escrita. Algo análogo vale para o teiú, cujo relevo não se deve aos ovos chupados, mas à parecença estrutural com os meninos da cidade, mais selvagens do que ele etc. etc.

Salvo engano, a visualização precisa e a verbalização direta no caso trazem a marca das destrezas próprias à sociedade provinciana, em grande parte analfabeta. O paradoxo é interessante e merece reflexão. A memória absoluta dos acontecidos, do que foi dito, da disposição das coisas etc., que imprime aos apontamentos o padrão sem deficiência subjetiva, quase se diria o acabamento impecável, tem a ver com a cultura oral e de poucas letras. Mesma coisa para a propriedade vocabular sem deslize, apoiada na autoridade ou objetividade do uso comum, que diminuem o aspecto personalizante na escolha dos termos. O caráter mais ou menos imutável e coletivo dessas aptidões, que barram a expressão individualizada, não impede entretanto que a prosa de Helena as combine à inteligência crítica, que tem nelas um inesperado fator dinâmico. Digamos que a inquietação esclarecida — ou também individualista e interesseira — ao ser modelada pela fala familiar--patriarcal, e através desta por formas estabilizadas de autoridade, bem como de vida popular, *tornadas reversíveis pela informalidade*, acerta com um registro de grande rendimento, no qual volta e meia a razão troca de lado, ora ficando no campo dos senhores, ora no outro. As afinidades imprevistas e a tensão óbvia entre as componentes, que tacitamente se espelham umas nas outras, não quebram a naturalidade da combinação, em que a simplicidade e o teor ambíguo, às vezes problemático em sentido forte, convivem. Já vimos a movimentação endiabrada e profundamente espirituosa de Helena no interior deste quadro de forças: individualista, contra o constrangimento familiar e dos costumes; familista, contra a dissolução do clã e sua vida abundante; moderna contra as presunções de estirpe, rebelde contra os preconceitos de classe e raça; esclarecida contra a superstição e a ignorância, mas amiga de festejos religiosos e populares, além de alérgica à disciplina utilitária; alérgica também a tudo que seja imobilismo, venha dos humildes ou dos bem-postos, e consciente da mobilidade e das vantagens proporcionadas pelo dinheiro, que entretanto é "um pedaço de papel sujo, a que a gente tem de dar maior valor do que a muita coisa boa na vida";[95] menina esperta, parente pobre, e no entanto especialista na demonstração cabal de que o dinheiro, que às vezes é preciso furtar, não compra o que existe de bom; admiradora da vida sem cálculos humilhantes — liberdade? — que a crença na proteção divina faculta aos desvalidos etc. A disposição raciocinante e apetente, ou seja, o elemento de razão e simpatia em cada uma dessas posições incompatíveis, assim como o pouco futuro histórico de sua aliança, dispensam comentário. O enigmático é que em contexto elas respirem uma atmosfera relativamente realista e não façam figura de criancice. É como se a desativação de suas contradições encontrasse alguma caução real, que as impede de parecerem contos de fada. Num argumento anterior, sugerimos que o curso da extinção da escravatura tomou rumos e abriu perspectivas diferentes dependendo do lugar. Deixado a si mesmo, o

---

95. Op. cit., p. 49.

processo decantava na ordem antiga aqueles elementos de coesão social que não se esgotavam na força bruta, ou em que a necessidade encontrava mínimos de consentimento, senão de identificação, corporificando direções atípicas e não burguesas de reprodução social, cujo caráter *avançado* com referência à situação anterior, e impraticável quanto à marcha do mundo, não lhes terá conquistado a viabilidade em larga escala, mas lhes assegura a capacidade duradoura de nos falar à imaginação.

Embora exato, o subtítulo que a Autora deu à reunião de seus papéis antigos, "cadernos de uma menina provinciana nos fins do século XIX", não faz justiça ao livro. É como se a publicação se estivesse desculpando da eventual vaidade por meio do propósito louvável de documentar o passado do país. A classificação, um tantinho condescendente para com as escritoras juvenis, os lugares atrasados e os tempos idos, fica aquém da vitalidade crespa das anedotas. Aliás não faltava à menina a noção de sua idade, nem da posição relativa de Diamantina, ou do pitoresco do Brasil velho, que para ela entretanto eram questões do presente, sem tintura saudosista. A propósito, observe-se que o senso da cor local, ligado ao influxo romântico mas dispensando a componente sentimental e patriótica, tem algo intrigante. A que título a mocinha apreciaria como *curiosas* as figuras familiares do cotidiano? A presença rarefeita mas efetiva do padrão esclarecido fazia que, além de correntes, as relações parecessem exóticas, embora mais conhecidas que o próprio padrão. Digamos que mal ou bem Helena considera que os mendigos, agregados e ex-escravos, as parentelas imensas, a contabilidade de obséquios e esmolas, o recurso à contribuição gratuita dos campos em volta, a vida em casas fechadas, a superstição espessa, as inúmeras festas religiosas etc. configuram algo digno de nota, um presente vistoso, mas por assim dizer deslocado no próprio presente, como que um desvio em relação à *normalidade*, a qual por sua vez, contudo, inexistia para todos os efeitos.

Inversamente é claro que nada mais anômalo do que a família restrita, o trabalho livre e o interesse individual desimpedido — a substância da referida normalidade — se acaso se manifestassem deveras. Mesmo em Diamantina, tão fim de mundo e tão no centro de tudo, a colegial esclarecida fazia no seu íntimo a experiência das defasagens do mundo contemporâneo. Ainda que secundariamente, a realidade imediata destoa sobre o pano de fundo progressista e normativo da atualidade, entretanto pouco apoiado nas coisas, o qual por sua vez faz figura bárbara se a norma estiver sendo dada pela realidade próxima. Como resultado de alienação histórica, ou como superação dela na medida do possível, esse movimento de báscula imprime pontos de fuga desencontrados à empiria, conferindo-lhe relevo e realidade específica no tempo, ou, ainda, dando presença à labilidade ideológica da jovem ex-colônia.

Assim, à distância, o novo padrão burguês pressionava e de certo modo condenava ao limbo um sistema de relações que ele não iria substituir tão cedo. A inglesinha inteligente e individualista tinha noção dessas desqualificações, as quais entretanto muitas vezes não aceitava e a que reagia com outros tantos argumentos, igualmente ligados à inteligência e à realização individual, mas apontando para um curso diferente das coisas. Postas à prova na circunstância, a inteligência e a realização individual mostravam-se menos simples e sobretudo menos burguesas do que sugeria o seu modelo consagrado, cujos contrassensos apareciam aqui e ali. A produtividade crítica desse movimento discutidor assegura o interesse moderno e *universal* do livro, tomados os adjetivos em acepção modesta. Insistindo ainda no tema, note-se o equilíbrio estupendo das reações de Helena, a qual em momento nenhum desconhece a precariedade da província e do atraso, e no entanto não faz disso um motivo de apequenamento ou degradação, e, mais ainda, tem força para extrair da experiência disponível os termos que permitem o juízo independente diante das polarizações do progresso. Além de esperteza, há *valor* na superação das unilateralidades e das tentações regressivas a que a situação de atraso induzia. O próprio progressismo, cultivado em abstrato, seria uma delas, e talvez se possa dizer que o tino rebelde para o relativo das coisas, ou o antiformalismo, seja a faculdade mestra do espírito da menina (como aliás de Capitu, conforme lembra o leitor). Sirva de exemplo o caso dos dois rapazes do Rio que chegam a Diamantina para instalar o jogo do bicho. Os parentes que conhecem a capital avisam que as primas não lhes devem dar confiança, "pois que bicheiro no Rio de Janeiro é muito desclassificado". A menina discorda: "Que importa isso? Eles são desclassificados lá, mas aqui são muito bem classificados e por isso não podemos tratá-los mal, sendo eles uns rapazes tão amáveis e simpáticos".[96] A falta de moços apresentáveis no local suspende uma avaliação que no Rio podia até ter cabimento. Por outro lado é absurda a mania de achar melhor tudo o que vem de fora, muito em particular os dentistas. "O que é nosso não presta, só de outras terras é que é bom. Eu mesmo pensava isso. Não vou mais pensar assim. O que é mau há de ser bom de agora em diante."[97] O espevitamento da conclusão será humorístico? Em plano mais cheio de implicações, há a convicção do pai, "que não deixa meus irmãos ficarem sem trabalhar, dizendo que o trabalho só é desonra aqui, porque só os escravos é que trabalham e que onde não havia escravos o trabalho é honroso".[98] Eis um exemplo em que as regras de dentro e de fora coexistem, a boa sendo a segunda. Noutros casos, não se sabe se para bem ou para mal, a distância anula o peso do Rio de Janeiro: embora se divirta com o voto de cabresto e as paixões políticas da família, Helena não acredita que a eleição presi-

---

96. Op. cit., p. 262.
97. Op. cit., p. 101.
98. Op. cit., p. 260.

dencial possa mudar alguma coisa em Diamantina. No conjunto, os exercícios de relativização e inversão de ideias correntes compõem um clima vivo, notável pelo inconformismo intelectual, pelo alcance das questões envolvidas, e também pela isenção demonstrada, tudo com óbvio proveito em humanidade. As verdades aceitas são vistas por seus vários lados, inclusive os opostos, e criticadas à luz da situação particular. Mais especialmente, trata-se de não abrir mão das possibilidades de plenitude dadas na vida local, ou por outra ainda, de fazer frente aos esvaziamentos que a dinâmica do mundo moderno inflige a suas partes ditas atrasadas. O potencial decisivo destes últimos impulsos não está no horizonte da menina, em fim de contas juvenil, mas impregna as suas audácias, mesmo as inocentes. É claro que a irreverência tem razão de ser aguda em ex-colônias, proporcional aos estragos causados pelos complexos e pelas ilusões do colonizado. Mas, descolonização à parte, o olho irônico para as diferenças de situação, que levantam dúvida sobre o valor geral das generalidades aceitas, é um trunfo da autonomia crítica, em Diamantina como na mais avançada capital europeia. O desembaraço exemplar da mocinha para desarmar essa ordem de armadilhas reconforta o anseio, este sim comum, de não ser empulhado por generalizações.

Embora buscando o peculiar, a escrita de Helena economiza nos localismos, sem fazer deles um tabu. Muito de sua superioridade literária tem a ver com essa dosagem sábia, que evita isolar a particularidade, ao mesmo tempo que a salienta. Sem prejuízo da nota espontânea, trata-se de uma resposta profundamente adequada ao quadro brasileiro, que aliás não a estimulava. Atenta às feições distintivas — na verdade os efeitos da colonização e do escravismo — ela não as absolutiza pela via comum da exaltação patriótica ou tradicionalista, da indignação abstrata ou da rotulação cientificista, nem muito menos as esconde. O enquadramento pela anedota *interessante*, de intenção esclarecida, onde primam os atos, os nexos e as apreciações espirituosas, cria uma espécie de distância sóbria, em que o pitoresco imediato e as avaliações convencionais não desaparecem, mas passam a secundar o principal, que inclui uma pontada crítica. Talvez se possa dizer que a localidade com a qual a prosa sintoniza se compõe de relações, por oposição ao localismo elementarista, amarrado em signos fixos. Lembremos por exemplo o belo episódio do diamante de Arinda, onde Deus *dá* a sorte, o tio *compra* o que apareça, a criança paupérrima *acha* o diamante, não *ganha* com isso, enquanto o pai ignorante *se ilude* com o futuro e Helena, *conformada* com o próprio azar, *sente pena* da miséria da amiguinha. O segredo está na força configuradora do leque de verbos, o qual entre outras coisas traduz o sentimento *ativo* da vida — uma novidade — que caracteriza a Autora. Uma a uma as expressões nada indicam de local, mas o conjunto põe de pé um universo com lógica social e problemas morais diferenciados, isto quase sem recorrer — suponhamos — a descrições da lavra, dos tipos físicos, do brilho da pedra brasileira etc. Para marcar o acerto da solução, que não deriva de preocupações artísticas e no entanto escapa às desafinações correntes da prosa nacional, basta imaginar, carregando no traço, o que fariam com a cena os nossos escritores românticos, naturalistas ou regionalistas. Trata-se de outro aspecto, agora estilístico, do equilíbrio de exceção a que há pouco nos referimos. Por razões de momento, e sem que se escondam as "anomalias" históricas, as formas de vida local parecem estar em relação fluente e substanciosa com a atualidade, nem desprezadas demais, nem exaltadas, mas apreciadas em ato, com liberdade, na presença de um mundo que as transcende. Não se dá o valor devido a essa dosagem de bairrismo e generalidade se não for levada em conta a sua tensão interna, ou seu caráter superador. Entre a civilidade esclarecida e o senso apurado e apaixonado de uma feição especial de vida tende a existir conflito. A segunda atitude, especialmente quando ligada aos melindres da província e do atraso nacional, mais os seus vexames de classe, convida às complacências incivis dos diretamente envolvidos, felizes com o espelhamento recíproco em âmbito confinado, vale dizer, com termos privativos, impermeáveis à avaliação externa que lhes diz respeito. Por sua vez, os funcionamentos caricatos da urbanidade cosmopolita em sociedade de matriz colonial são conhecidos. Pois bem, apesar do registro familiar, que a seu modo não deixa de representar também uma espécie de conivência, quase se diria um engajamento, a escrita de Helena guarda sempre o *decoro* próprio ao esforço de entender e civilizar, recusando o que possa haver de obtuso e acumpliciado na cor local. A salvo das redomas do nacionalismo, da tradição retrógrada, da hierarquia científica das raças ou das regiões, para não falar do simples encasulamento, o senso da particularidade brilha com outra luz.

A seu modo, a excelência do livro da Morley confirma o programa machadiano, que à matéria nacional explícita e emblemática preferia o "sentimento íntimo" do país e do tempo, o famoso brasileirismo interior, "diverso e melhor do que se fora apenas superficial".[99] O tino da moça para o âmbito das relações e para sua precedência sobre a definição convencional dos termos não para de surpreender. Como a obra de Machado, os escritos de Helena parecem imunizados contra a grosseria corrente, ou seja, contra a confirmação mental das separações, dos estigmas ligados à persistência — ou à modernização — da matriz colonial. A humanidade perfeita no trato com os espezinhados da vida brasileira deixa boquiaberto o leitor de hoje. A imprevidência absurda, a dependência pessoal abjeta, a cor escura da pele, a gramática errada, os furtos constantes, a superstição etc. não são lançados à

---

99. Machado de Assis, *Notícia da atual literatura brasileira — instinto de nacionalidade*, in Obra completa, Rio de Janeiro, Aguilar, 1959, vol. III, p. 817.

conta exclusiva da outra classe, e melhor, são lembrados ironicamente dentro da própria, deixando sem arrimo ideológico a realidade do desconjuntamento social. Digamos que o viés da desbarbarização no caso não é antipopular. Não há melhor indicador do caráter especial dessa orientação do que a dificuldade que encontramos para admiti-la, para imaginar que ela tenha existido de verdade em seu momento, funcionando tal e qual no dia a dia, sem quebras, na presença direta das prerrogativas a que se contrapõe. De fato, a feição impecável de seu desempenho tem algo de acabamento sem defeito, mais próprio de obras literárias que de condutas reais. Seria uma razão para supor que o livro tenha sido reescrito a fundo nos anos 30, quando a vanguarda artística, inspirada na situação histórica nova, já havia decidido que o nosso acervo de relações coloniais, anômalas do ponto de vista da civilização burguesa, poderia mudar de sinal e ser um trunfo positivo, ao menos esteticamente, para a inserção moderníssima — quer dizer, pós-burguesa — do país no futuro próximo. Seja como for, e sem prejuízo dos lances de gênio, a valorização modernista do Brasil antigo ou popular incluía muito humorismo de choque e procedia com a desenvoltura e a autoridade de quem, num país de broncos, andava atualizado com a moda internacional. Ao passo que nos apontamentos de Helena, rearranjados ou não, há no atrito com o atraso a seriedade singela das questões cotidianas trazidas à reflexão, na sua figura comum e em vista da prática. A dimensão proveitosa das Luzes se impõe, ainda que fora de fase com a fisionomia contemporânea do progresso, que por seu lado ia perdendo contato com a própria ideia, completando uma constelação paradoxal.

  De outro ângulo, também porque estamos em Minas, o leitor talvez encontre no bucolismo de muitos episódios um eco da convenção arcádica e do século XVIII. Aí estão os sítios amenos, as alegrias rústicas, a dignidade do trabalho, a sociedade idealmente simples, com esfera material reduzida, tudo dito com clareza e compostura. A vida pastoral, em que Razão e Natureza se puseram de acordo, parece como que realizada na cidadezinha empobrecida, a meio caminho da ruralização, e ainda assim muito civilizada. Acresce que a prosa de Helena de fato fundiu a informalidade familiar com elementos fortes da perspectiva ilustrada, tais como a visão social e administrativa das coisas, a franqueza na consideração dos interesses individuais, a confiança nas vantagens práticas da Razão, elementos que a tradição da cidade terá conservado, e que aliás no século do ouro também já haviam contrastado com a incultura ambiente e o mato. Coloridas pelo estoicismo e a boa cara de Helena, que não dá o braço a torcer, a constante procura de frutas para enganar a fome, muitas vezes no pomar alheio, a vigilância sobre os frangos e ovos da casa, para que não sejam furtados por sua vez, a faxina exaustiva, que impede de estudar etc., adquirem algo de uma pastoral humorística. No entanto, exista ou não o aspecto estilizado, a necessidade não é convencional. As reflexões a que dá margem são práticas, comportando um pedaço daquela seriedade na consideração do cotidiano que é uma das conquistas *avançadas* do Realismo literário segundo Auerbach.[100] Em poucos livros da literatura brasileira ela será tão autêntica como aqui. "Hoje nos assentamos na frente do rancho, a família toda. Mamãe catava arroz, Renato fazia alçapão, Nhonhô armava uma arapuca, eu cerzia minhas meias e Luisinha nos olhava trabalhar. Certa hora eu perguntei: 'Vocês não pensam para que a gente vive? Não era melhor Deus não ter criado o mundo? A vida é só de trabalho. A gente trabalha, come, trabalha de novo, dorme e no fim não sabe se ainda vai parar no inferno. Eu não sei mesmo para que se vive'. Mamãe disse: 'Que horror, minha filha! Para que você passou tanto tempo no Catecismo, para agora vir me dizer que não sabe

---

100. Erich Auerbach, *Mimesis*, Berna, A. Francke, 1946, p. 437.

para que a gente vive? Não estudou lá todos os dias que a gente vive para amar e servir a Deus na terra e gozar dele no céu?' Eu respondi: 'Estudei, mamãe, mas já vi que só a família de vovó e poucos outros [por serem ricos e darem esmola em quantidade suficiente] podem viver só para amar Deus na terra e esperar gozar da presença dele no céu' [...]. Mamãe respondeu: 'É porque você vive sempre de cabeça em pé e não procura pensar. Quem pensa tem que ter amor a Deus. Eu o amo acima de tudo'. Renato parou com o alçapão e disse: 'Sabem o que eu estive pensando? Não há esse negócio de céu nem de inferno nada; isso tudo é conversa de padre. Eu penso que a vida é como um punhado de fubá que se põe na palma da mão; quando se assopra vai embora e não fica nada. Nós também depois de mortos a terra come; não tem nenhuma alma'. Mamãe ficou horrorizada e perguntou: 'A quem você saiu com estas ideias? Estou pasma do que você disse! Como um menino da sua idade pode ter essas ideias tão hereges! Valha-me Deus, que castigo! Que fiz eu a Deus para ter um filho assim? Virgem Santa! Agora vou viver só por sua conta, meu filho'. Mamãe contou a história de uma mulher que tinha um filho assim e fez penitência de rasgar o corpo com um prego para Deus perdoar-lhe. Deus perdoou e ele se ordenou e foi um padre muito santo. Renato fazendo o alçapão, sem levantar a cabeça, disse: 'Mas a senhora não precisa rasgar seu corpo com prego que eu não vou ser padre. Pau que nasce torto não se conserta'".[101]

    A literatura moderna nos acostumou a ver as suas conquistas sob o signo do esforço, da disciplina, da renúncia etc. A correspondência de Flaubert dá notícia da trabalheira e do senso de responsabilidade envolvidos na busca da *palavra certa*. Analogamente, a *prosa desconvencionalizada* depende da luta contra o prestígio e os automatismos da retórica, assim como a *figura clara*

---

101. Helena Morley, op. cit., pp. 90-1.

só se alcança ao cabo de árdua depuração. Em todos os casos se trata de recusar a mentira — sobretudo burguesa — sedimentada nas relações sociais, em nós mesmos, na linguagem e na tradição artística. Ora, sem forçar comparações descabidas, observe-se a qualidade paramoderna da prosa de Helena, mais satisfatória que muitas sob todos os aspectos mencionados, mas decorrendo de uma constelação histórica diferente. A expressão exata no seu caso não é conquistada contra, mas a favor do uso comum. Este parece encerrar mais verdade que mentira, pois o seu opositor é a linguagem elevada e, de modo geral, a ocultação do cotidiano trabalhoso e trivial, assim como o seu depositário é a oralidade com lastro popular, em circunstâncias de beletrismo a serviço da distinção de classe. A condução anticonvencional da prosa alimenta-se também do realismo da experiência infantojuvenil e familiar, que sob o signo esclarecido — e do momento histórico — escapam à estreiteza que lhes é própria. A pertinência literária chega através de certa agregação de interesses: a escrita da menina faz com que o ponto de vista dos desvalidos, dos parentes pobres, dos ex-escravos, das mulheres, do trabalho, dos esfomeados, dos bichos, bem como da própria criançada, escape ao mutismo e se defronte com as regras da propriedade e da autoridade. São as energias misturadas da negação e da reacomodação que somam e se canalizam com espontaneidade através da verve da escritora. Por fim, a compleição surpreendente da prosa, que reúne atributos que os nossos dias tornaram incompossíveis: clara, sem ser árida; cheia de ressonâncias, mas alheia a conotações difusas ou inexatas; bonita, embora não rompa o contato com a realidade prática, além de não perfumar a sua flor ou poetizar o seu poema, para lembrar o célebre mandamento — poetizante e enfático pela via inversa — de João Cabral. Os apontamentos oferecem-se à contemplação com as suas ambiguidades límpidas, substanciosas, resultantes da fidelidade à experiência contraditória, própria e coletiva. Sob muitos aspectos a literatura de Helena Morley realiza com naturalidade um ideal da poesia moderna. Longe de abundâncias ou parcimônias de escola, escorada na sorte de uma situação histórica especial, a menina acerta sem querer com o que outros procuram em vão. Essa facilidade naturalmente tem algo de utopia, que sem se repetir à vontade está disponível para o pensamento.

...

Tratando de entender a graça das *Memórias de um sargento de milícias* (1853), Antonio Candido descobriu a sua profundidade, e com ela um eixo oculto da literatura brasileira. No ponto de partida está a lei que governa a fabulação do romance: as personagens circulam alegremente entre os hemisférios da ordem e da desordem social, num vaivém sem culpa, a que o crítico dá o nome de "dialética da malandragem". Algo similar ocorre com a escrita, que à maneira do humorismo popular da época abre espaço para os dois lados das coisas, num balanço de frase simpaticamente equânime. Assim, a economia do livro apresenta como equivalentes e íntimos um do outro os dois hemisférios que a ideologia convencional da nação jovem timbrava em separar e opor como o bem ao mal. Sem desdizer o feitio modesto da ambição, com o qual forma uma harmonia sugestiva, o acerto de Manuel Antônio de Almeida se traduz em qualidade literária superior, e seu livro "é talvez o único em nossa literatura do século XIX que não exprime uma visão de classe dominante", evitando "a pretensiosa afetação que compromete a maior parte da ficção brasileira daquele tempo".[102] Ora, diante da rigidez da escravidão, a graça desse sentimento da vida, todo feito de fluidez e bom humor, não deixa de surpreender.

---

102. Antonio Candido, "Dialética da malandragem", in *O discurso e a cidade*, São Paulo, Duas Cidades, 1993, pp. 51, 46.

Será pura fantasia? Haverá nele alguma adequação à história, como fariam supor as referências ao Rio de Janeiro de dom João VI? A resposta de Antonio Candido é nuançada: se a marca do Realismo for a reprodução completa e positiva da realidade, as *Memórias* ficam fora, pelos muitos vestígios folclóricos, "brandamente fabulosos", e por serem incompletas quanto ao panorama; não obstante, o livro de Manuel Antônio imagina a fundo o *dinamismo* da sociedade, isso conforme o modo de viver de um dos setores dela, com o que satisfaz uma aspiração essencial e moderna — a mais valiosa — da literatura realista. Trocando em miúdos, a facilidade de movimentos estilizada no *Sargento de milícias* liga-se ao recorte particular operado pelo romance. Este deixa fora de seu universo as duas esferas decisivas da sociedade de então, a saber, o trabalho escravo e os controles do mando, para concentrar-se na terra de ninguém que ficava no entremeio, onde os pobres — sem trabalho e sem propriedade — viviam como podiam, das sobras do outro setor, desenvolvendo os mecanismos e ritmos que a narrativa valoriza. Aí está portanto uma visão parcial, real e simpaticíssima do país, obtida graças ao sumiço providencial dado tanto em sua elite como na sua forma básica de produção (por não caberem no bom humor?). Deliberada ou intuitivamente, trata-se do problema estrutural da cultura brasileira, sempre envolvida com a tarefa de curar ou disfarçar a ferida aberta pela economia colonial. A despeito da diferença de gênero, os paralelos com *Minha vida de menina* não faltam, e o leitor já terá notado, pelo resumo, o muito que meu ensaio tomou emprestado ao de Antonio Candido.

Apoiado na análise estética do *Sargento de milícias*, o crítico trata de captar as peculiaridades de um modo de ser. Em seguida identifica o fundamento histórico-social deste último, para afinal confrontá-lo, em registro discretamente meditativo e a título de indicação, às formas de vida puritanas que a ficção norte-americana do período correspondente examinava. No horizonte político do estudo, publicado em 1970, estavam o regime militar de 64, com suas disposições antipopulares, e o aprofundamento da integração capitalista do país, ocorrido naqueles anos. O contexto teórico, em sintonia oblíqua com essas coordenadas, era formado pelo marxismo vulgar e o estruturalismo anti-histórico, a que "Dialética da malandragem" se contrapunha, sem bater caixa, como uma alternativa superadora. Noutro plano, possivelmente menos efêmero que os marcos da ciência, a composição muito pensada do estudo dava padrão crítico e acadêmico a aspirações de longo prazo das letras brasileiras. Penso no desejo de obter reconhecimento para aspectos da vida nacional julgados estimáveis. Como é óbvio, existe risco de ideologia nessa ambição, a qual entretanto não há por que recusar, pois tem sentido e alarga a noção do presente, uma vez que escape ao clichê. Conduzido com discernimento, e sobretudo sem ufanismo, é um desígnio difícil, que obriga a combinar reflexões, umas sobre a experiência histórica local, vincada pela descolonização incompleta, outras sobre a cena contemporânea, num vaivém duplamente crítico. No limite, em termos algo caricatos pelo que sugerem de escolha no varejo, trata-se de saber o que temos para oferecer ao mundo e o que lhe queremos tomar. Passando à face negativa do intercâmbio, a recapitulação da história dos últimos decênios manda destacar também, como contribuição nacional ao sentimento e à verdade do tempo, o nosso museu de horrores, desde que não estejamos fechando os olhos para a generalidade do movimento contemporâneo, que é da mesma ordem. Isso posto, mesmo os refratários não têm como esquivar a valorização discriminada de conflitos, conciliações, momentos, obras, aspirações etc., que solicitam o apreço e o desapreço das partes em presença, as quais veem aí alguma coisa que importa. Ora, sem propósito de exclusão ou programa, se formos à substância das nossas configurações culturais marcantes, aquelas em que para mal ou para bem sentimos força e universalidade, iremos verificar — acredito — que envolvem algum tipo de dessegregação, de mobilização liberadora — em geral ilusória — no campo das deformidades que assinalam a reciclagem moderna da matriz colonial. É como se apontassem o encargo histórico do país, o desastre mundial a consertar, a linha de força que confere universalidade ao provincianismo de nossa problemática interna. Quando uma espécie qualquer de superação entra em pauta, a lâmpada do interesse acende. Quando não, é a rotina de sempre.

Tomando exemplos um pouco ao acaso, lembremos Gilberto Freyre, para quem a proximidade afetiva e a atração sexual entre senhor e escravo, sobretudo quando perversas, enchem de interesse humano a desumanidade da escravidão.[103] Os críticos de *Casa-grande & senzala* não negaram a existência desses meandros, mas observam que para salientá-los o Autor teve de se concentrar no âmbito da escravidão doméstica, em detrimento do trabalho no eito e da compra e venda de negros, que não obedeciam a essas pautas.[104] Noutras palavras, a imagem apetitosa do país foi construída através da atenuação do papel do comércio e do trabalho de escravos na sociedade escravista...

O vazio interior deixado pelo desaparecimento da escravidão, às vezes em seus adversários mais notáveis, é um sentimento cujas vertigens falta à crítica brasileira esmiuçar. Tocado pela saudade, pela veneração da própria família e pela aversão ao "instinto mercenário de nossa época", o grande abolicionista Nabuco se arrisca a dizer, pensando na dedicação eventual do escravo ao se-

---

103. Para uma exposição sugestiva e numerosa da estratégia freyriana de "equilibrar antagonismos", ver Ricardo Benzaquen de Araújo, *Guerra e paz: Casa-grande & senzala e a obra de Gilberto Freyre nos anos 30*, Rio de Janeiro, Editora 34, 1994.
104. Caio Prado Júnior, *Formação do Brasil contemporâneo (Colônia)*, São Paulo, Brasiliense, 1953, pp. 276 e sobretudo 350.

nhor, que no dia em que a escravidão foi extinta "um dos mais absolutos desinteresses de que o coração humano se tenha mostrado capaz não encontraria mais as condições que o tornaram possível. [...] Tal qual a pressenti em torno de mim [na infância], ela [a escravidão] conserva-se em minha recordação como um jugo suave, orgulho exterior do senhor, mas também orgulho íntimo do escravo, alguma coisa parecida com a dedicação do animal que nunca se altera, porque o fermento da desigualdade não pode penetrar nela". Vindas de qualquer outro, essas palavras hoje *chocantes*, sustentadas em parte pela coragem moral do testemunho privilegiado, em parte pela impunidade senhorial que persistia, poderiam ser lidas como simples apologética. Escritas por Nabuco, insuspeito de simpatias retrógradas no capítulo, elas dão notícia do sentimento de degradação que acompanhava a universalização das relações mercantis ("o instinto mercenário de nossa época", "o fermento da desigualdade") em que desembocava a Abolição e que formava o avesso inglório da Liberdade que alvorecia. Colocando limites aos juízos perigosos, Nabuco prossegue dizendo recear "que essa espécie particular de escravidão tenha existido somente em propriedades muito antigas [como as de sua família e região], administradas durante gerações seguidas com o mesmo espírito de humanidade, e onde uma longa hereditariedade de relações fixas entre o senhor e os escravos tivesse feito de um e outros uma espécie de tribo patriarcal isolada do mundo. Tal aproximação entre situações tão desiguais perante a lei seria impossível nas novas e ricas fazendas do Sul, onde o escravo, desconhecido do proprietário, era somente um instrumento de colheita. Os engenhos do Norte eram pela maior parte pobres explorações industriais, existiam apenas para a conservação do estado do senhor, cuja importância e posição avaliava-se pelo número de seus escravos. Assim também encontrava-se ali, com uma aristocracia de maneiras que o tempo apagou, um pudor, um resguardo em questões de lucro, próprio das classes que não traficam".[105] Comentando o trecho, cuja nota idealizadora não há como não ver, Luiz Felipe de Alencastro assinala a crítica por assim dizer preventiva a outras idealizações prováveis: Nabuco datava e restringia, social e economicamente, "esta espécie particular de escravidão". Ao passo que, uma geração mais tarde, "Freyre transforma 'essa espécie de tribo patriarcal isolada do mundo' em tribo transoceânica, válida não só para o Brasil inteiro, como também para o império lusitano".[106] Seja como for, e reatando com nosso raciocínio, também Nabuco buscava decantar a parte boa da experiência brasileira, que em seu argumento prosperava quando a economia escravista se apartava do espírito comercial. Há um certo paralelo, em matéria de subtração, com o Brasil joanino sem proprietários e sem trabalho escravo, ou com a ênfase no lado sexualmente gozoso de uma terrível instituição de trabalho forçado. As etapas do movimento são as mesmas: a dissolução da barbárie eleva a imaginação ao campo da relevância humana (histórica? ideológica?), ao preço do distanciamento da realidade.

As operações da prosa modernista são análogas noutra chave. Veja-se o tom inconfundível de Mário, em especial a célebre colocação "errada", popular e brasileira dos pronomes, enxertada numa escrita de flexibilidade deslumbrante, fruto da mais alta e pesquisada cultura literária. O travejamento histórico e social desse estilo, compósito mas aspirando a uma naturalidade superior, devolve-nos a nosso problema. Para evitar equívocos, o próprio iconoclasta explicava que a intenção dos erros era militante. Tratava-se de denunciar o caráter colonizado, antipopular, irreal e

---

105. Joaquim Nabuco, *Minha formação*, Rio de Janeiro, José Olympio, 1976, pp. 120-1.
106. Luiz Felipe de Alencastro, "A pré-revolução de 30", in *Novos Estudos Cebrap*, nº 18, São Paulo, 1987, pp. 20-1.

propriamente *inculto* do padrão culto do país, e naturalmente de abrir caminho para a sua substituição por outro mais acertado. A iniciativa escandalosa de errar postulava uma espécie de liderança pelo exemplo, e também pela disposição sacrificada de chamar a si o insulto dos bem-falantes. Ao colocar os pronomes a seu modo, que exceto pela sistematização erudita era o da maioria, Mário tomava um partido complexo, cuja nota libertária vale a pena especificar. Como se sabe, o pronome usado à brasileira é a regra entre o povo, analfabeto ou não, mas também entre os educados, desde que não estejam escrevendo ou falando em circunstâncias oficiais, quando a caução da gramática metropolitana faz parte de sua identidade de elite "ocupante", segundo a terminologia de Paulo Emilio, quer dizer, sem parte com a ralé colonial.[107] Esse era o contexto, coeso por uma parte, fraturado por outra, em que Mário inventava modos de reconhecer o direito de cidade à linguagem cotidiana, livrando-a do estigma e relativo confinamento. À primeira vista, a mudança significava a promoção do âmbito popular. Olhando melhor, contudo, notaremos que a reforma dizia respeito prioritariamente às classes cultivadas, instadas a trocar de lealdade. O aspecto crucial estava na ruptura com o padrão metropolitano, percebido por uns tantos membros da elite culta como obstáculo obsoleto a um desenvolvimento novo, com eixo interno. Vinha à frente a tarefa da integração *cultural* da nação, mandando que os homens modernos, em dia com a atualidade estética internacional, trabalhassem na articulação desta última com as riquezas da pobreza brasileira, numa síntese exaltante, incompatível com o padrão burguês corrente, que fazia figura *atrasada*. O fundo colonial do país, agora acrescido pela massa imigrante, também ela reduzida à infracidadania, passava a ser o verdadeiro repositó-

---

107. P. E. Salles Gomes, *Cinema: trajetória no subdesenvolvimento*, Rio de Janeiro, Paz e Terra, 1980, p. 77.

rio de nossa força. A desalienação da elite através dessa aliança, que expulsava a anterior sujeição mental, abriria o campo para a originalidade, o dinamismo e a regeneração nacionais. A serem plausíveis as nossas indicações, o desenvolvimentismo batia à porta, em variante pré-30, não econômica, que imprimia um rumo *sui generis* ao pensamento. A reorientação modernista, em especial a de Mário, tinha raízes de que o progressismo de hoje não se dá muita conta.

A posição brasileira dos pronomes cristalizava um conjunto estratégico de polaridades heterogêneas entre si. A incorreção em matéria de língua fazia polemizarem na imaginação a pátria e a ex-metrópole, o povo e os encasacados, o país real e o país legal, a fração nacional e a fração alienada da elite, as liberdades modernas e o convencionalismo esclerosado etc. No segundo termo desses pares está a posição vencida, ou merecendo derrota. Nem por isso os primeiros termos são semelhantes no teor libertário, e o aprofundamento dessas diferenças pode levar a uma visão mais discriminada do Modernismo. Por exemplo, a inanidade do país legal não tornava menos autoritário o país real, que está entre os beneficiários da sinceridade em questão de pronomes. Na mesma ordem de ambiguidades, há uma conexão decisiva entre o brasileirismo pronominal e o universo da informalidade, alérgico a situações oficiais e, com elas, à dimensão normativa da esfera pública. Acresce que a informalidade, parente próxima da naturalidade, parecia representar a extensão das relações de cunho familiar à rua e a todo o espaço social. Assim, o molde familista, formas de autoridade e intimidade inclusive, como que se substituía à política, a qual ficava no papel de uma superfetação dispensável. Sob o signo da promoção da vida popular, o personalismo das relações rurais e a correlativa impotência do Estado adquiriam brilho estético *moderno*, ainda que qualificado pela ressalva humorística. Para entender o caráter duvidoso desses meandros basta lembrar o aspecto formal e não espontâneo — encasacado? — próprio à ideia mesma de cidadania, também a dos pobres.[108] Por outro lado não custa recordar que na época a abolição do Estado — a casaca das casacas — estava na ordem do dia, ao menos em pensamento.

Isso posto, a exemplaridade afrontosa das escolhas estilísticas do prosador, valorizadas e como que nobilitadas pelo estudo, pela informação atualizada e a dedicação sem limites à imensa família virtual dos brasileiros, em especial à cultura sem reconhecimento dos pobres, não deixava também de simbolizar um projeto nacional, desconfiado da política e político a seu modo. (É claro que estamos pensando na feição da escrita, e não na atuação efetiva de Mário à frente do Departamento Municipal de Cultura de São Paulo, que é uma questão diferente.) Digamos então que se tratava de reunir e abraçar no jeito erudito-informal da prosa o conjunto drasticamente desnivelado das regiões, culturas e classes do país, a força de pesquisa, de liberdade artística moderna e de uma expansão programática das obrigações por assim dizer devidas à família, que de extensa passava a nacional. Os melhores sentimentos de que seria capaz o paternalismo levado ao limite dele mesmo, desvinculado de seus interesses materiais, mas cheio, ainda assim, dos cuidados correspondentes, ampliavam-se em escala amazônica, até as fronteiras do território e além. Haveria um desbloqueio do indivíduo moderno — aqui a nota vanguardista — que alentado por certo padrão ideal do familismo brasileiro saberia lhe tornar revolucionária a natureza flexível, extensível e propensa à acomodação no coletivo, superando o emparedamento egoísta. Alheios à rigidez do Direito, esses laços seriam capazes de inspirar uma ordem que, ao desenvenenar as separações do Brasil antigo, estivesse

---

108. A exploração clássica deste temário se encontra em *Raízes do Brasil* (1936), de Sérgio Buarque de Holanda.

à altura também da crítica modernista às *alienações da moderna civilização burguesa*, as quais havia que evitar. O deslocado dessa aspiração, às vésperas da Revolução de 30 e do surto industrial concomitante, salta aos olhos de agora. Nem por isso ela perde a beleza. O paradoxo está na fisionomia esteticamente avançada, devida à ativação aventurosa ou extravagante de nosso substrato pré-burguês no quadro da experimentação artística de ponta, esboçando uma hipótese política pouco viável, mas uma imagem forte, pela insatisfação a que seu projeto de aliança até hoje responde. Seja como for, a força e amplitude da dedicação do intelectual era um admirável avesso do desvalimento e da desinformação dos compatriotas, que se tratava de sanar.

Todo leitor de Mário conhece o quê enjoativo de sua prosa, na qual a imensa liberdade de movimentos, que dá a certeza imediata do escritor notável, combina-se às pontadas transgressivas e ao propósito edificante, ligado à vocação para tutor. A dimensão transgressora, muito diversificada nos motivos e na gesticulação, merece um estudo à parte. No caso, baste o inesperado de seu direcionamento, em parte só de Mário, em parte comum aos modernistas. Trata-se de ostentar condicionamentos que se diriam constrangedores, como bairrismos, entusiasmos colegiais, parentescos intrincados, deficiências de província, visões maleitosas, idiotismos populares, insubordinações filiais etc., e mais, de fazer praça deles no campo livre da reflexão contemporânea, *onde funcionam como trunfos do pensamento adiantado*, para não dizer subversivo. É como se um rio subisse a encosta do morro... Noutro estudo, comentando a configuração análoga do vanguardismo de Oswald, sugeri que a pujança econômica do café prometia um belo *futuro*, em plena modernidade, às relações sociais de tipo *antigo*, as quais na circunstância adquiriam sinal positivo, pois tinham parte com o progresso do país e não pareciam um fim de linha, nem atestado de pobreza.[109] Do ponto de vista literário, explicações à parte, o imprevisto está na conotação audaciosa e crítica de prismas que o processo de individuação e universalização burguesas — para não falar em saúde pública — havia superado e relegado, e que no entanto figuram aqui, paradoxalmente, como indicadores de uma possibilidade superior. A inversão em parte é uma *boutade*, que no entanto deve o brio a certo apoio no curso local das coisas, e sobretudo à crise da figura burguesa da Razão, que faz com que os funcionamentos supraindividuais, mesmo encharcados de atraso e localismo, encerrem promessas de equilíbrios futuros. O leitor terá notado o paralelo com os momentos coletivizantes do espírito crítico de Helena Morley. Voltando à prosa de Mário, para lhe apanhar na plenitude o timbre transgressivo-edificante é preciso ter em conta as bandeiras particulares ao pé das coletivas, ou seja, as inflexões exibicionistas e adamadas, a que a autoridade dos motivos meritórios dá uma cobertura incômoda. Assim, alternando o experimentalismo vanguardista, a exaltação ginasiana, a superioridade professoral, a objetividade amadurecida, o interesse escuso, a devoção familiar, o domínio erudito das matérias etc., tudo sob a égide de uma visão abrangente e alta das necessidades da cultura nacional, Mário compunha um instrumento literário poderoso e estranho, profundamente ancorado nas realidades brasileiras, bem como na atualidade, capaz como quase nenhum outro de formular a experiência do país. No quadro de nosso argumento, chama atenção a diversidade de sua gama, contrapartida da sociedade pouco diferençada, onde — estilizando — o mestre de meninos, o revolucionário das letras e dos costumes e o curador da cultura nacional são uma mesma pessoa, cuja prosa reúne os registros correspondentes e a naturali-

---

109. Roberto Schwarz, "A carroça, o bonde e o poeta modernista", in *Que horas são?*, São Paulo, Companhia das Letras, 1987, pp. 21-4.

dade para transitar de um a outro, encarregada de contrabalançar a imobilidade e a falta geral de instituições. Dito isso, nada mais pessoal e intransferível que a fisionomia dessa escrita que se queria funcional, como que indicando que seu gigantismo não era repetível. Com efeito, hoje ela se lê como uma extraordinária façanha de expressão individual, associada ao desejo de aperfeiçoar a nacionalidade. — Com os ajustes de cada caso, haveria observações semelhantes a fazer sobre a Antropofagia de Oswald de Andrade, a esplêndida prosa de Manuel Bandeira nos anos 30, o localismo universalista da primeira poesia de Drummond e Murilo Mendes, todos descobrindo e inventando conexões fortes entre o legado colonial e a modernidade.[110]

Também nos romances da primeira fase de Machado de Assis há uma nota edificante que incomoda. Ela se deve ao propósito, conformista no essencial, de civilizar e tornar menos arbitrário o paternalismo de nossos proprietários. Devidamente esclarecidos, estes saberiam se reformar, quando então tratariam os seus dependentes com dignidade e segundo o mérito, corrigindo o sistema de condutas iníquas que acompanhava a escravidão e a autoridade incontrastada. Em 1880, ao publicar as *Memórias póstumas de Brás Cubas*, a sua primeira obra-prima, Machado manifestamente deixara de acreditar nessa possibilidade crucial. Convencera-se de que a elite brasileira não ia assumir a responsabilidade histórica de consertar o estrago herdado. Pelo contrário, os ricos aproveitavam-se deste na medida do possível, e quanto ao mais, atrelavam-se ao padrão de consumo dos países adiantados, desentendendo o resto, ou ainda, fixando a feição moderna do desconjuntamento colonial. Daí em diante o romancista ia esquadrinhar os meandros de

---

110. Sobre o abrasileiramento do surrealismo em Murilo Mendes, ver Davi Arrigucci Jr., "Arquitetura da memória", in *O cacto e as ruínas*, São Paulo, Duas Cidades, 1997, pp. 81-93.

autojustificação e deformidade espiritual que acompanharam esse mau passo de nossa gente civilizada, cujo sentimento de modernidade adquiria algo caricato. Ao perceber que a verdade do movimento histórico era essa e ao fazer dela a pauta de sua composição romanesca, Machado alcançava a sua altitude de grande escritor, com ponto de vista certeiro sobre uma problemática local de alcance contemporâneo: a comédia do progresso que nada soluciona encaixava-se brilhantemente na ordem geral da atualidade, que através dele mostrava afinidades retrógradas, pouco admitidas e iníquas por sua vez. Onde os companheiros de ofício, anteriores e posteriores, buscavam superações nacionais, Machado refletia sobre as ilusões correspondentes e a dinâmica e o significado escarninho da continuidade no impasse.

Quisemos mostrar com esta série de exemplos que *Minha vida de menina* integra, em boa posição, uma linha substantiva da literatura brasileira. A nota especial se prende a certa facilidade no acerto estético, algo à maneira do *Sargento de milícias*, que pouco rema contra a corrente, e nem por isso é trivial, nem cheira a justificação ideológica. Por contraste, sugerimos que as visões simpáticas do país, mesmo em autores de grande calibre, dependeram da exclusão de aspectos evidentes da realidade. Na prosa da menina isso não ocorre, não por artifício artístico superior, e sim porque o momento histórico se havia encarregado da filtragem: a Abolição acabava de suspender o trabalho escravo, e a involução relativa da economia regional barrava o progresso burguês desimpedido, abrindo a brecha para um progresso de outra sorte, da ordem da reacomodação interna, de cuja humanidade a beleza do livro fala e dá prova. Por um momento a regulação recíproca de paternalismo e propriedade privada pareceu capaz de superar a fratura na formação social brasileira. Há um testemunho nessa harmonia precária, pronta a se desmanchar ao primeiro arranco do progresso econômico, quando a incongruência social costumeira reclamará os seus direitos.

Sobre os textos

"A poesia envenenada de *Dom Casmurro*". Aula de concurso para professor titular de literatura brasileira, dada em 1990, no Departamento de Teoria Literária e Literatura Comparada da Unicamp. A primeira metade do trabalho saiu em *Novos Estudos Cebrap*, nº 29, São Paulo, 1991. A versão integral foi publicada em Ana Pizarro (org.), *América Latina: palavra, literatura e cultura*, vol. II, São Paulo: Memorial, Campinas: Unicamp, 1994.

"Outra Capitu". Inédito.

Livros do Autor

A sereia e o desconfiado (ensaios), Rio de Janeiro, Civilização Brasileira, 1965.

Corações veteranos (poesia), Rio de Janeiro, Coleção Frenesi, 1974.

Ao vencedor as batatas (ensaio), São Paulo, Duas Cidades, 1977.

A lata de lixo da história (teatro), Rio de Janeiro, Paz e Terra, 1977. [Reeditado pela Companhia das Letras em 2014.]

O pai de família (ensaios), Rio de Janeiro, Paz e Terra, 1978. [Reeditado pela Companhia das Letras em 2008.]

Os pobres na literatura brasileira (org.), São Paulo, Brasiliense, 1983.

Que horas são? (ensaios), São Paulo, Companhia das Letras, 1987.

Um mestre na periferia do capitalismo (ensaio), São Paulo, Duas Cidades, 1990.

Sequências brasileiras (ensaios), São Paulo, Companhia das Letras, 1999.

Martinha versus Lucrécia (ensaios), São Paulo, Companhia das Letras, 2012.

As ideias fora do lugar (ensaios), São Paulo, Companhia das Letras, 2014.

1ª EDIÇÃO [1997] 1 reimpressão
2ª EDIÇÃO [2006] 2 reimpressões

ESTA OBRA FOI COMPOSTA PELA SPRESS EM MINION E IMPRESSA EM
OFSETE PELA GRÁFICA PAYM SOBRE PAPEL PÓLEN SOFT DA SUZANO S.A.
PARA A EDITORA SCHWARCZ EM FEVEREIRO DE 2022

A marca FSC® é a garantia de que a madeira utilizada na fabricação do papel deste livro provém de florestas que foram gerenciadas de maneira ambientalmente correta, socialmente justa e economicamente viável, além de outras fontes de origem controlada.